#홈스쿨링
#혼자공부하기

똑똑한 하루 글쓰기

Chunjae
Makes
Chunjae

[똑똑한 하루 글쓰기] 예비초 A

기획총괄	박진영
편집개발	전종현, 김효진, 백경민, 박지영
디자인총괄	김희정
표지디자인	윤순미, 김지현
내지디자인	박희춘, 최지희
제작	황성진, 조규영
본문 사진 제공	셔터스톡, 픽사베이

발행일	2022년 5월 15일 초판 2022년 5월 15일 1쇄
발행인	(주)천재교육
주소	서울시 금천구 가산로9길 54
신고번호	제2001-000018호
고객센터	1577-0902

※ 정답 분실 시에는 천재교육 교재 홈페이지에서 내려받으세요.

※ KC 마크는 이 제품이 공통안전기준에 적합하였음을 의미합니다.

※ 주의

책 모서리에 다칠 수 있으니 주의하시기 바랍니다.

부주의로 인한 사고의 경우 책임지지 않습니다.

8세 미만의 어린이는 부모님의 관리가 필요합니다.

3주 메모를 써 보자!

정리 마무리 학습

글쓰기 실력이 모자라 마법도 실수투성이지만, 훈민과 정음 가족을 만나 글쓰기 실력을 키워 나가는 아라를 지켜봐 주세요.

뚝뚝한 하루 글쓰기

예비초 A 스케줄표

1주 쪽지를 써 보자!

1일 ... 고

5일 60~63쪽	4일 56~59쪽	3일 52~55쪽	2일 48~51쪽
내 그림을 소개해요	내 장난감을 소개해요	친구를 소개해요	가족을 소개해요

특강 64~71쪽

누구나 100점 테스트 + 창의·융합·코딩

3주 메모를 써 보자!

1일 72~79쪽	2일
심부름을 써요	

114~117쪽	110
기초 종합 정리 문제 2회	기

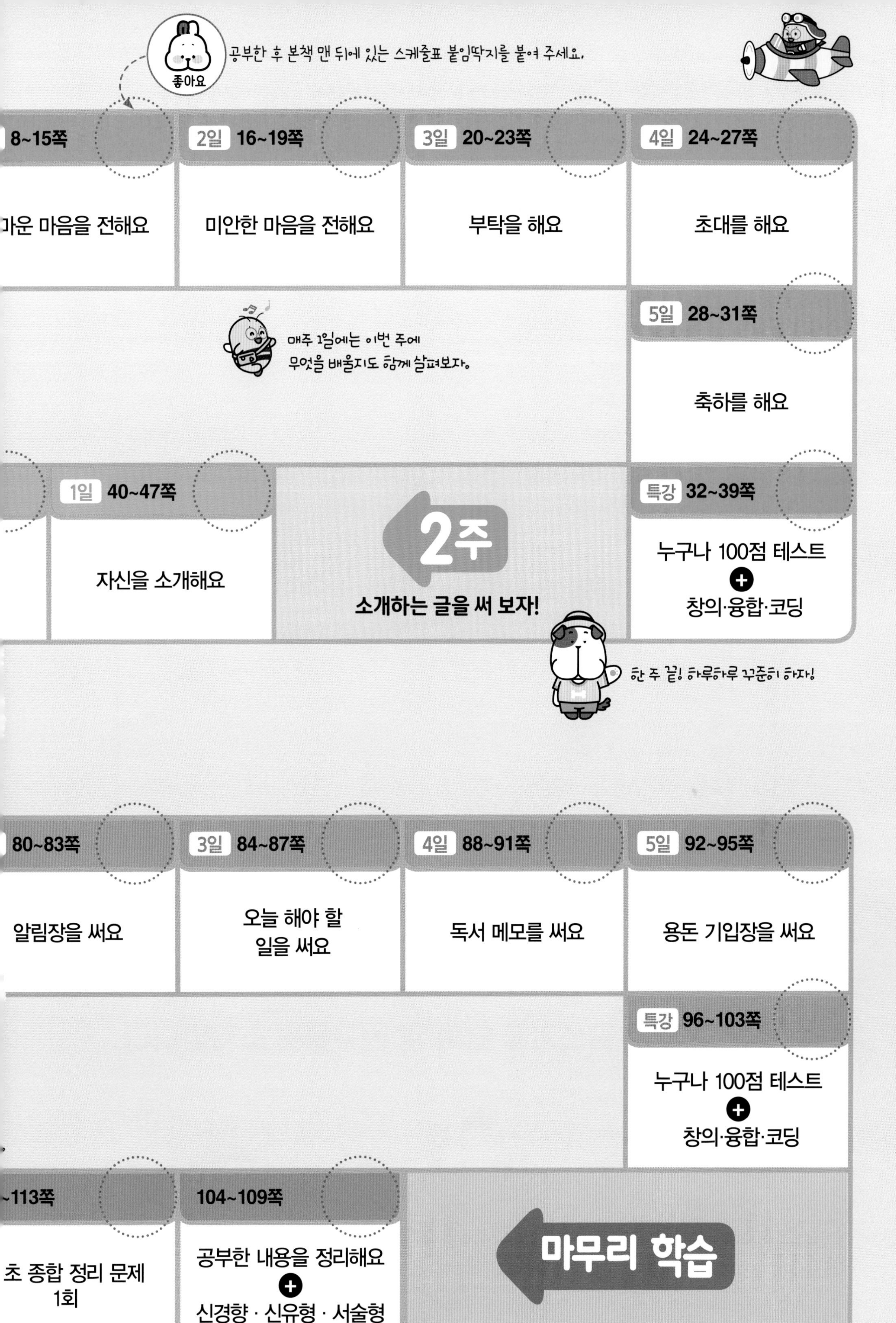
좋아요
공부한 후 본책 맨 뒤에 있는 스케줄표 붙임딱지를 붙여 주세요.
8~15쪽
마운 마음을 전해요
2일 16~19쪽
미안한 마음을 전해요
3일 20~23쪽
부탁을 해요
4일 24~27쪽
초대를 해요
매주 1일에는 이번 주에
무엇을 배울지도 함께 살펴보자.
5일 28~31쪽
축하를 해요
1일 40~47쪽
자신을 소개해요
2주
소개하는 글을 써 보자!
특강 32~39쪽
누구나 100점 테스트
+
창의·융합·코딩
한 주 끝! 하루하루 꾸준히 하자!
80~83쪽
알림장을 써요
3일 84~87쪽
오늘 해야 할
일을 써요
4일 88~91쪽
독서 메모를 써요
5일 92~95쪽
용돈 기입장을 써요
특강 96~103쪽
누구나 100점 테스트
+
창의·융합·코딩
~113쪽
초 종합 정리 문제
1회
104~109쪽
공부한 내용을 정리해요
+
신경향 · 신유형 · 서술형
마무리 학습

예비초 A 공부할 내용 한눈에 보기!

1주 쪽지를 써 보자!

2주 소개하는 글을 써 보자!

똑똑한 하루 글쓰기를 함께 할 친구들을 소개합니다.

마법사 세계에서 글쓰기를 배우러 온 아라! 글쓰기 실력을 키우면 새로운 마법을 얻을 수 있다는 선생님의 말씀에 따라 마법 고양이 리오와 함께 인간 세상에 글쓰기를 배우러 왔어요.

글쓰기, 어떻게 시작할까요?

똑똑한 글쓰기 질문 하나!

글쓰기 공부 왜 필요할까요?

자신의 생각을 표현하는 수단이자 모든 학습의 바탕이 되는 활동이 바로 글쓰기예요. 특히 배운 내용을 정리하고, 이해한 것을 글로 풀어내는 글쓰기 능력은 모든 과목 학습 성취에 큰 영향을 끼친답니다.

똑똑한 글쓰기 질문 둘!

계속되는 글쓰기 공부의 실패 원인은 무엇일까요?

글쓰기를 시작하는 순간부터 아이들은 무엇을 써야 할지, 어떻게 표현할지, 어떻게 고쳐야 자연스러울지 등 많은 고민을 하게 되고, 이를 힘들어한답니다. 이렇게 복잡하고 어려운 글쓰기 과정이 익숙해지지 않았을 때 "이것 한번 써 보렴." 하고 과제를 주면 돌아오는 대답은 "엄마, 글쓰기가 싫어요!"일 수밖에 없을 거예요. 그래서 『똑똑한 하루 글쓰기』는 아이들이 차츰 글쓰기에 익숙해지고 재미를 붙여 나갈 수 있도록 만들었답니다.

똑똑한 글쓰기 질문 셋!

글쓰기 공부 어떻게 시작해야 할까요?

쉽고 재미있는 『똑똑한 하루 글쓰기』 예비초등 단계로 시작해 보세요. 그림과 만화로 여러 가지 글쓰기 상황을 접할 수 있고, 낱말 쓰기부터 짧은 글 쓰기까지 단계별로 글쓰기를 학습할 수 있어요. 재미있는 게임 형식의 문제와 부담 없는 하루 학습량으로 아이의 공부 습관도 자연스럽게 길러 주세요. 하루하루 꾸준히 공부해서 한 권을 끝내면 글쓰기 실력과 함께 자신감도 쑥쑥 자랄 거예요.

이 책의 특징과 장점

똑똑한 하루 글쓰기로 똑똑해지자!

똑똑한 하루 글쓰기!

왜 똑똑한 하루 글쓰기일까요?

1. **10분**이면 **하루 글쓰기 끝!** 쉽고 재미있는 글쓰기 공부!
2. 예비초 수준에 맞는 **상황별 글쓰기 연습!** 다양한 실생활 속 글쓰기 연습!
3. **단계별 글쓰기**로 글쓰기 실력 향상! 따라 쓰고 보고 쓰며 짧은 글 완성!
4. **창의·융합·코딩**으로 사고력 넓히기! 흉내 내는 말부터 다양한 배경지식까지!
5. **평가 문제**로 실력이 쑥쑥! '누구나 100점 테스트'와 '기초 종합 정리 문제'로 실력 완성!

구성과 활용 방법

한 주 동안 공부할 내용을 만화와 그림으로 미리 살펴보고,
각 일차에 배울 중요한 말을 따라 써 봅니다.

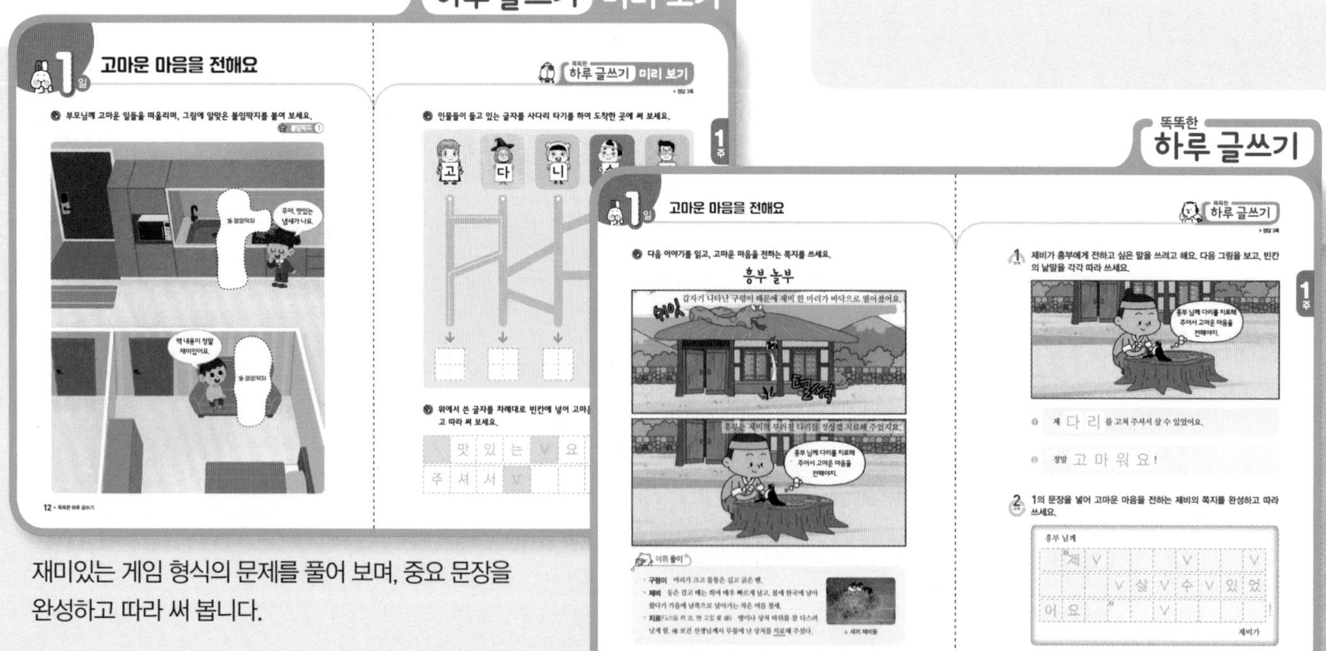

재미있는 게임 형식의 문제를 풀어 보며, 중요 문장을
완성하고 따라 써 봅니다.

다양한 글쓰기 상황을 살펴보고, 낱말 쓰기부터 짧은 글 쓰기까지 단계별로
학습하며 쉽고 재미있게 글쓰기를 연습합니다.

누구나 100점 테스트

한 주 동안 공부한 내용을 평가하며
글쓰기 실력을 확인합니다.

주 특강

창의・융합・코딩 미션을 해결하며 재미있게 한 주 동안
배운 내용을 떠올리고 다양한 배경지식을 넓힙니다.

마무리 학습

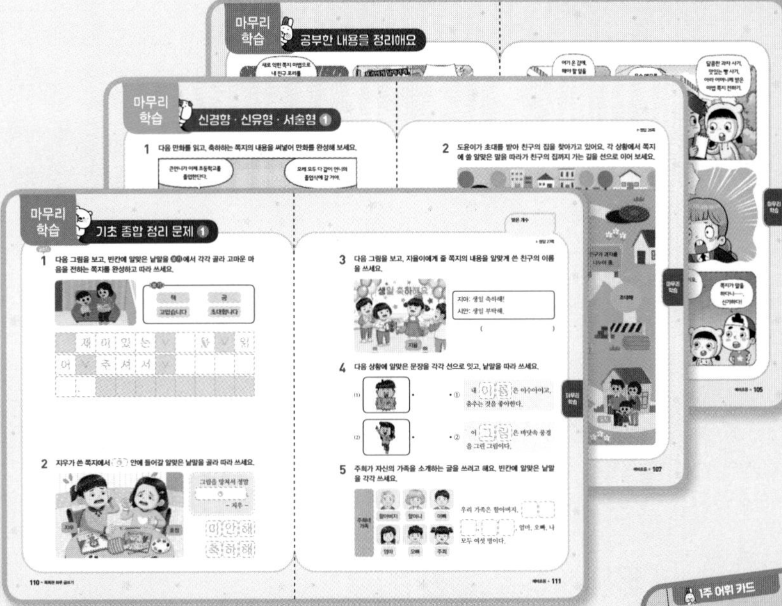

신경향・신유형・서술형 문제와 기초 종합 정리 문제로
다양한 문제 형식을 접하고 풀어 보며
배운 내용들을 되새겨 봅니다.

부록

어휘 카드와 붙임딱지를 활용하여
더욱 재미있고 알차게 공부해요!

친구들과 약속해요!

우리 같이 약속해요!

첫째, 하루하루 빠짐없이 꾸준히 공부하기!

둘째, 하루 글쓰기 문제 끝까지 다 풀기!

셋째, 또박또박 바르게 글씨 쓰기!

약속하는 사람 ____________

쉽고 재미있는
『똑똑한 하루 글쓰기』로
첫 글쓰기 공부를 시작해 봐요.

똑 똑 한

하루 글쓰기

1주

1주에는 무엇을 공부할까? ❶

쪽지를 써 보자!

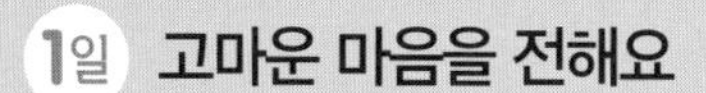
1일 고마운 마음을 전해요

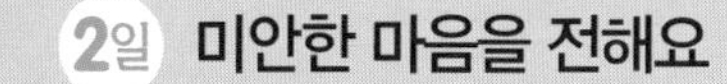
2일 미안한 마음을 전해요

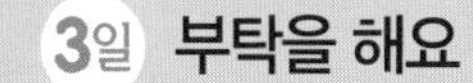
3일 부탁을 해요

4일 초대를 해요

5일 축하를 해요

1주

아저씨께
고마운 마음을 전하는
쪽지를 써서 드려야지!

아빠, 저는 오늘 친구에게
이런 쪽지를 받았어요.

생일잔치에 초대하는
쪽지구나.
너는 생일을 축하하는
쪽지를 써 주렴.
네

그런데 생일 선물을
살 용돈이 없어서
고민이에요.

내가 마법으로
친구에게 줄 선물을
만들어 줄까?
선물아, 나와라!

그냥 용돈을
열심히 모아 볼게.

1주 1주에는 무엇을 공부할까? ②

이번 주에 배울 내용을 생각하며, 빈칸의 말을 따라 쓰세요.

1일 고마운 마음을 전해요

2일 미안한 마음을 전해요

3일 부탁을 해요

▶정답 2쪽

1주

4일 초대를 해요

5일 축하를 해요

1일 고마운 마음을 전해요

부모님께 고마운 일들을 떠올리며, 그림에 알맞은 붙임딱지를 붙여 보세요.

붙임딱지 ①

▶정답 3쪽

1주

인물들이 들고 있는 글자를 사다리 타기를 하여 도착한 곳에 써 보세요.

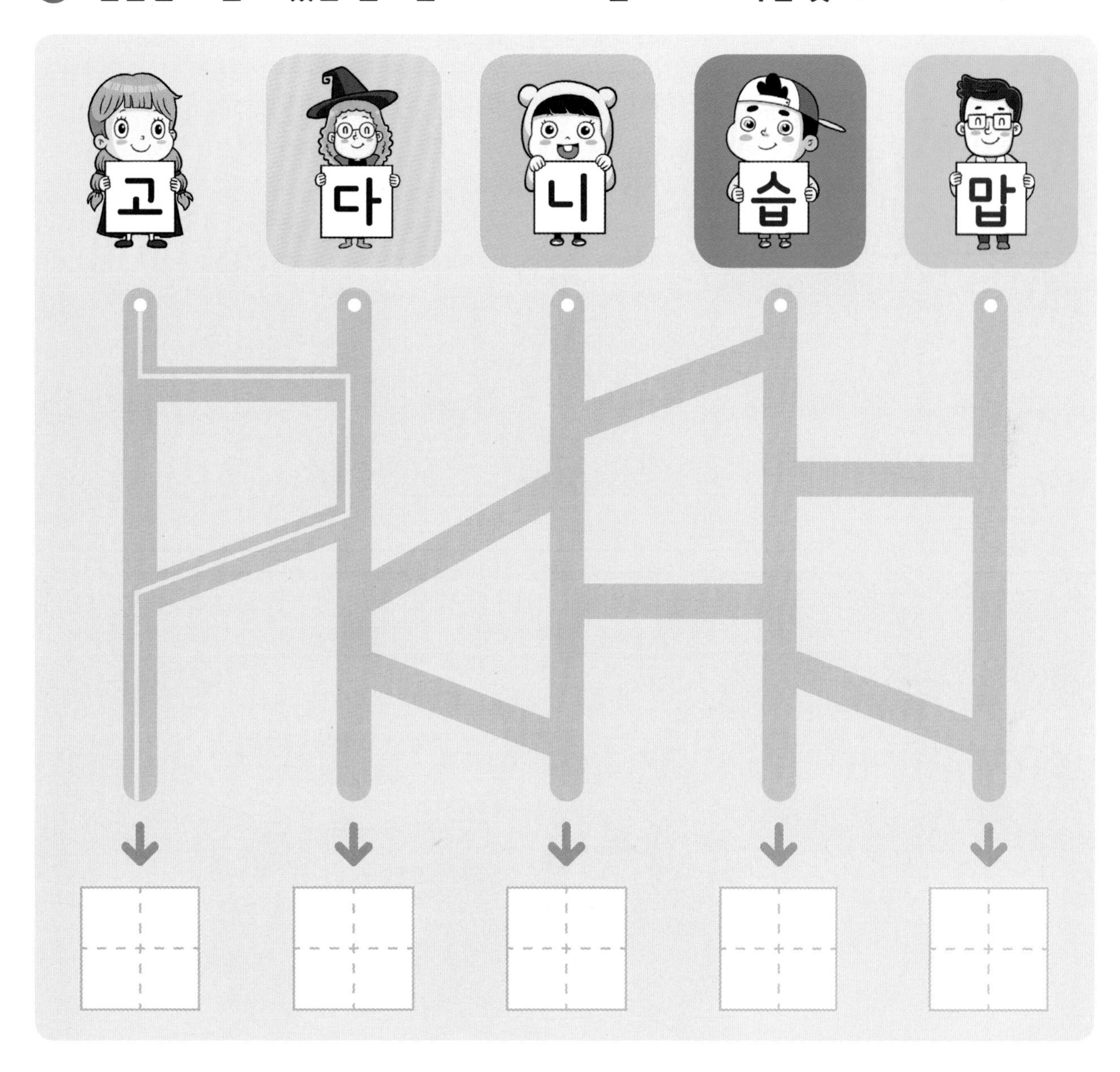

위에서 쓴 글자를 차례대로 빈칸에 넣어 고마운 마음을 전하는 쪽지를 완성하고 따라 써 보세요.

	맛	있	는	V	요	리	를	V	해	V
주	셔	서	V						.	

1일 고마운 마음을 전해요

다음 이야기를 읽고, 고마운 마음을 전하는 쪽지를 쓰세요.

흥부 놀부

갑자기 나타난 구렁이 때문에 제비 한 마리가 바닥으로 떨어졌어요.
쉬잇
털썩

흥부는 제비의 부러진 다리를 정성껏 치료해 주었지요.
흥부 님께 다리를 치료해 주어서 고마운 마음을 전해야지.

어휘 풀이

- **구렁이** 머리가 크고 몸통은 길고 굵은 뱀.
- **제비** 등은 검고 배는 희며 매우 빠르게 날고, 봄에 한국에 날아왔다가 가을에 남쪽으로 날아가는 작은 여름 철새.
- **치료**(다스릴 치 治, 병 고칠 료 療) 병이나 상처 따위를 잘 다스려 낫게 함. 예 보건 선생님께서 무릎에 난 상처를 치료해 주셨다.

▲ 새끼 제비들

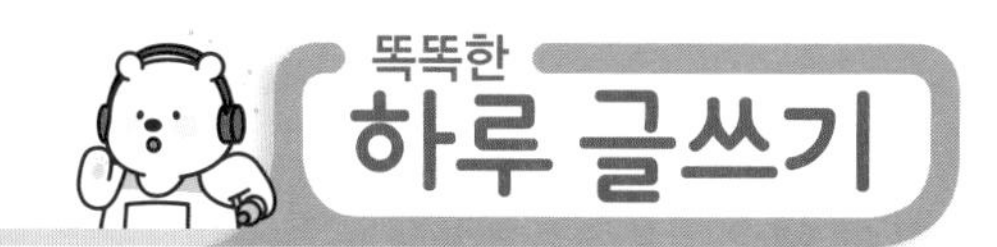
똑똑한
하루 글쓰기

▶정답 3쪽

1단계 제비가 흥부에게 전하고 싶은 말을 쓰려고 해요. 다음 그림을 보고, 빈칸의 낱말을 각각 따라 쓰세요.

흥부 님께 다리를 치료해
주어서 고마운 마음을
전해야지.

❶ 제 다리를 고쳐 주셔서 살 수 있었어요.

❷ 정말 고마워요!

2단계 1의 문장을 넣어 고마운 마음을 전하는 제비의 쪽지를 완성하고 따라 쓰세요.

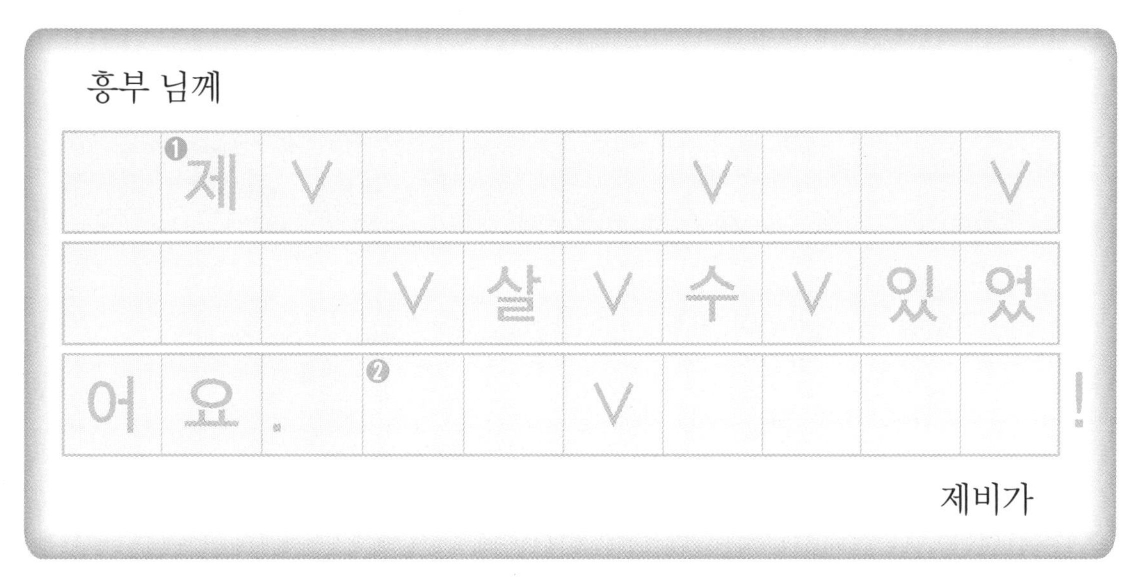
흥부 님께
❶ 제 ∨ ∨ ∨
∨ 살 ∨ 수 ∨ 있 었
어 요 . ❷ ∨ !
제비가

미안한 마음을 전해요

지우와 효정이에게 일어난 일을 살펴보며, 두 친구의 표정을 각각 알맞게 그려 넣어 보세요.

▶정답 4쪽

그림에 맞는 퍼즐 모양을 찾아 붙임딱지를 붙여 보세요.

퍼즐에 적힌 낱말을 각각 알맞은 빈칸에 넣어 미안한 마음을 전하는 쪽지를 완성하고 따라 써 보세요.

				,	네	V	그	림	에	V
물	을	V	쏟	아	서	V				.

미안한 마음을 전해요

다음 만화를 읽고, 미안한 마음을 전하는 쪽지를 쓰세요.

▶정답 4쪽

1 단계 **윤수에게 있었던 일과 그때 느꼈던 마음을 쓰려고 해요. 빈칸에 알맞은 낱말을 각각 쓰세요.**

어머, 윤수야.
이건 네 **신발**이 아니잖니.

재현이 신발을 잘못 신고 왔나 봐요.
미안해서 어쩌죠?

❶ 재현이의 [ ][ ] 을 실수로 잘못 신고 왔다.

❷ 재현이에게 정말 [ ][ ] 하다.

2 단계 **1의 문장을 이용해 미안한 마음을 전하는 윤수의 쪽지를 완성하고 따라 쓰세요.**

재현이에게
재 현 아 , 너 의 V
V V 잘 못 V 신
고 V 왔 어 . 너 에 게 V 정
말 V 해 .
윤수가

3일 부탁을 해요

민찬이가 장난감을 사러 장난감 가게에 갔어요. 민찬이가 갖고 싶은 장난감을 모두 찾아 ○표를 해 보세요.

▶정답 5쪽

도착까지 가는 길에 찾은 글자를 차례대로 넣어 부탁하는 쪽지를 완성하고 따라 써 보세요.

	아	빠	,		V			을	V
사	V	주	세	요	.				

부탁을 해요

다음 그림을 보고, 친구에게 부탁하는 쪽지를 쓰세요.

어휘 풀이

▼ **줄거리** 글의 내용이나 이야기의 중심이 되는 내용.

예) 오빠가 자신이 보고 온 영화의 줄거리를 말해 주었다.

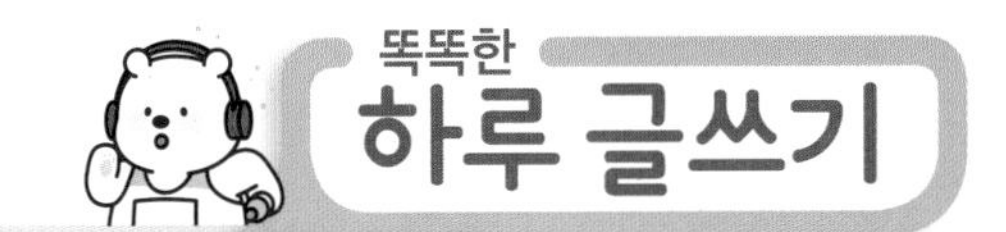

▶정답 5쪽

1단계 민우가 나리에게 부탁하는 쪽지를 쓰려고 해요. 빈칸에 알맞은 낱말을 보기에서 각각 골라 쓰세요.

보기

좋겠어 미안해 궁금해 초대해

❶ 네가 읽은 책 내용이 ______ .

❷ 책을 빌려주면 ______ .

2단계 1의 문장을 넣어 부탁하는 쪽지를 완성하고 따라 쓰세요.

	❶나	리	야	,	네	가	V	읽	은	V
	V				V				.	
❷책	을	V					V			
	.									

민우가

1주

초대를 해요

여진이가 자신의 생일잔치에 친구들을 초대하려고 해요. 생일 초대장의 앞면을 색칠하여 그림을 완성해 보세요.

초대장을 받은 친구가 여진이에게 가는 길에 찾은 글자를 차례대로 넣어 초대장을 완성하고 따라 써 보세요.

	너	를	V	내	V				
에	V	초	대	할	게	.			

4일 초대를 해요

다음 만화를 읽고, 초대하는 쪽지를 쓰세요.

이제 재롱 잔치에 부모님을 초대해 볼까요?
네!
송이

어휘 풀이

▼ **재롱**(재주 재 才, 희롱할 롱 弄) **잔치** 어린아이들이 어른들에게 노래와 연극 따위를 보여 주는 잔치. 예 사촌 동생의 재롱 잔치를 보러 갔다.

▶ 정답 6쪽

1 단계 송이가 부모님께 초대하는 쪽지를 쓰려고 해요. 빈칸에 알맞은 말을 보기에서 각각 골라 쓰세요.

보기

춤 | 노래 | 재롱 잔치 | 체육 대회

❶ 저희가 (   ) 과 (   ) 를 준비했어요.

❷ (   ) 에 꼭 오세요!

2 단계 1의 문장을 넣어 부모님을 재롱 잔치에 초대하는 쪽지를 완성하고 따라 쓰세요.

엄마, 아빠!

❶ 저 희 가 V (   ) V (   ) V 준 비 했 어 요 . ❷ (   ) V (   ) V 꼭 V (   ) !

• 시간: 7월 21일 금요일 2시
• 장소: 천재 유치원 강당

1주

축하를 해요

지아가 서울이의 생일을 축하해 주는 모습을 살펴보고, 케이크 위에 서율이의 나이만큼 초 붙임딱지를 붙여 보세요. ☆ 붙임딱지 ①

▶정답 7쪽

아라가 설명하는 낱말을 찾아 빈칸에 넣어 축하하는 문장을 완성하고 따라 써 보세요.

낱말의 뜻
남의 좋은 일을 기뻐하고 즐거워한다는 뜻으로 인사함. 또는 그런 인사.
축
하

	생	일	을	V	진	심	으	로	V
		해	.						

5일 축하를 해요

다음 만화를 읽고, 축하하는 쪽지를 쓰세요.

엄마! 드디어 태권도 검은 띠를 땄어요.
지예

어휘 풀이

- **태권도**(밟을 태 跆, 주먹 권 拳, 길 도 道) 우리나라 고유의 전통 무예를 바탕으로 한 운동. 또는 그 경기.
- **띠** 옷 위로 허리를 둘러매는 끈. ⓔ 도복을 입고 띠를 둘렀다.

▲ 태권도 격파

▶ 정답 7쪽

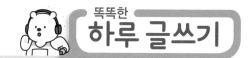

1단계 지예가 오빠에게 축하하는 쪽지를 쓰려고 해요. 빈칸에 알맞은 낱말을 보기에서 각각 골라 쓰세요.

보기

축하해 싫어해 연습 게임

❶ 태권도 검은 띠가 된 것을 ______.

❷ 그동안 열심히 ______한 오빠가 자랑스러워.

2단계 1의 문장을 넣어 지예가 쓴 축하하는 쪽지를 완성하고 따라 쓰세요.

오빠에게

	❶태	권	도	V			V			V
	V			V				.	❷그	
동	안	V				V				V
오	빠	가	V	자	랑	스	러	워	.	

지예가

1주  누구나 100점 테스트

1 다음 그림을 보고, 제비가 흥부에게 전하고 싶은 말이 무엇일지 골라 따라 쓰세요.

(1) 정말 고 마 워 요.

(2) 정말 축 하 해 요.

2 다음 그림을 보고, 보기 의 글자를 모두 이용해 지우가 쪽지에 쓴 문장을 완성하고 따라 쓰세요.

보기

안 미 해

효	정	아,				

3 부탁하는 쪽지의 내용으로 알맞은 말에 ○표를 하세요.

민규야, 네가 읽은 책 내용이 궁금해.
그 책을 (빌려줘 , 빌렸구나).

▶ 정답 8쪽

글쓰기

4 부모님을 재롱 잔치에 초대하려고 해요. 풍선에서 알맞은 낱말을 골라 ㉠ 안에 들어갈 문장을 완성하고 따라 쓰세요.

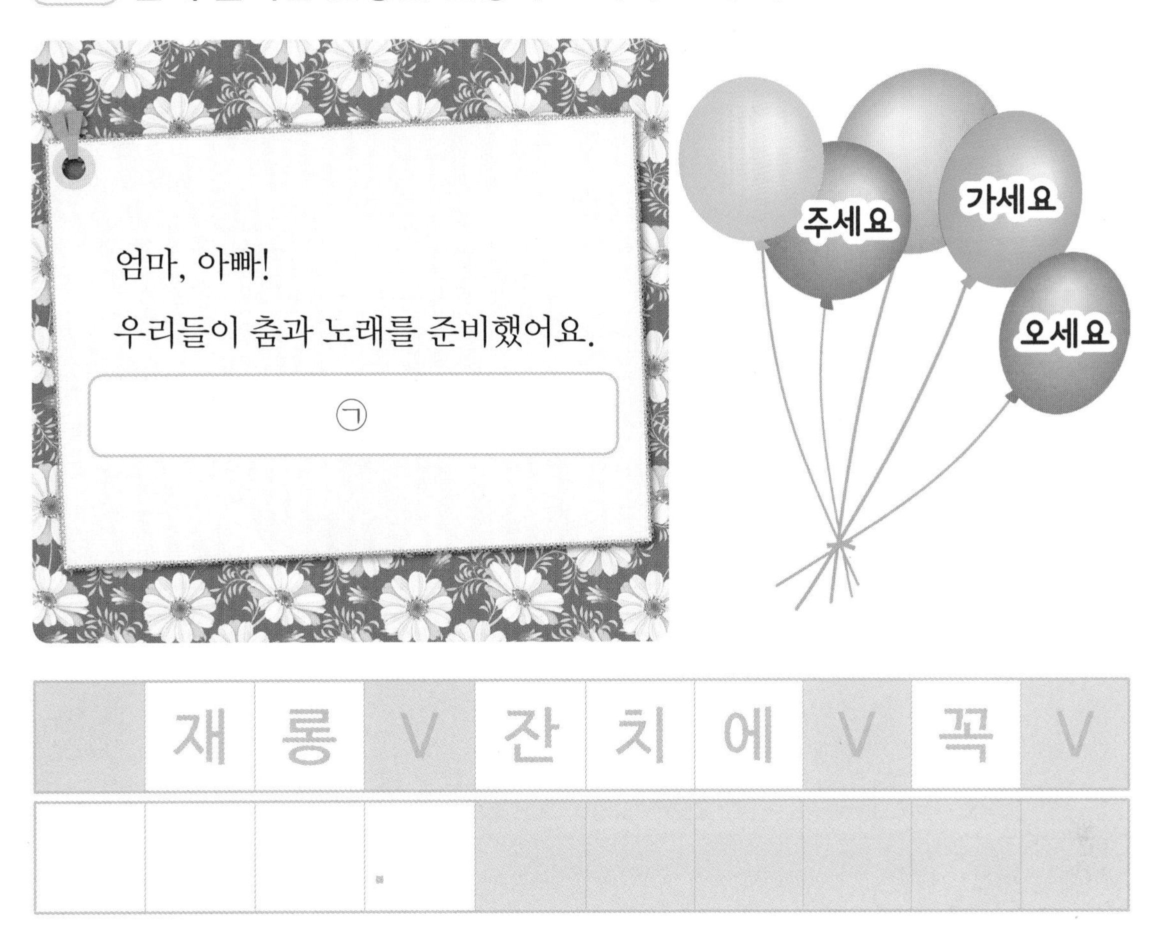
엄마, 아빠!
우리들이 춤과 노래를 준비했어요.
㉠
주세요
가세요
오세요

	재	롱	V	잔	치	에	V	꼭	V
			.						

5 다음 그림을 보고, 알맞은 낱말을 골라 따라 쓰세요.

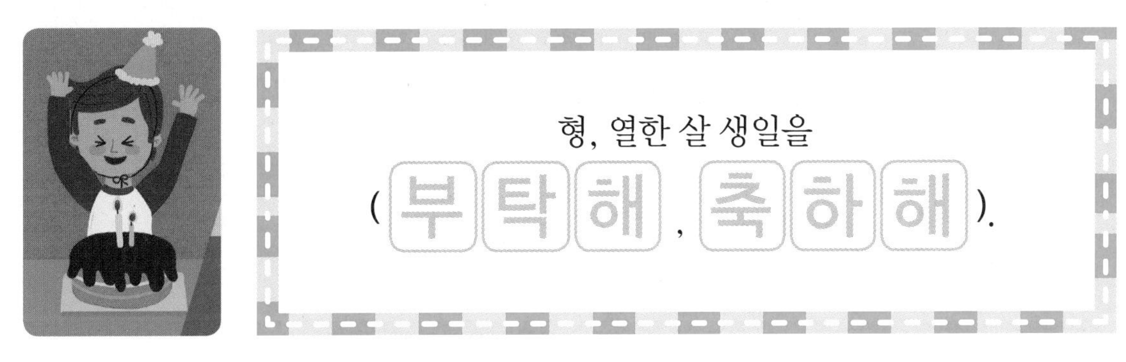
형, 열한 살 생일을
(부탁해 , 축하해).

1주 특강

바다에서 만날 수 있는 흉내 내는 말을 살펴보고, 따라 써 봐요. 흉내 내는 말에 알맞은 붙임딱지도 같이 붙여 보세요.

붙임딱지 1

▶정답 8쪽

바다에서 만날 수 있는 흉내 내는 말의 뜻을 알아봐요!

알맞은 모습의
붙임딱지를 붙여 보아요.

쏴

비바람이 치거나 물결이 밀려오는 소리.

알맞은 모습의
붙임딱지를 붙여 보아요.

끼룩끼룩

기러기나 갈매기 따위의 새가 우는 소리.

알맞은 모습의
붙임딱지를 붙여 보아요.

철썩철썩

아주 많은 양의 액체가 자꾸 단단한 물체에 마구 부딪치는 소리. 또는 그 모양.

알맞은 모습의
붙임딱지를 붙여 보아요.

첨벙첨벙

큰 물체가 물에 부딪치거나 잠기는 소리. 또는 그 모양.

제비가 무서운 동물들을 피해 흥부네 집에 무사히 도착하여 흥부에게 고마운 마음을 전할 수 있도록 코딩 카드에 알맞은 숫자를 각각 쓰세요.

출발
도착

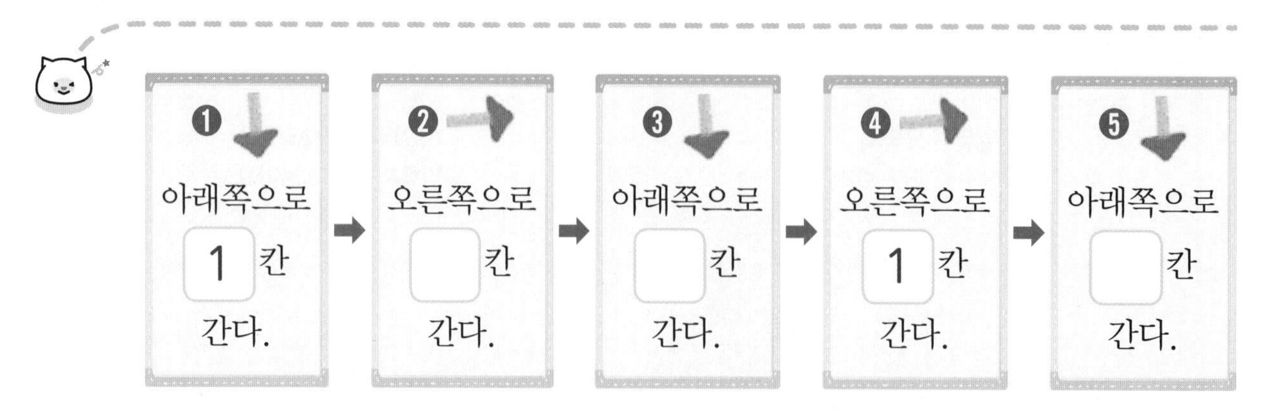
❶ 아래쪽으로 1 칸 간다.
❷ 오른쪽으로 칸 간다.
❸ 아래쪽으로 칸 간다.
❹ 오른쪽으로 1 칸 간다.
❺ 아래쪽으로 칸 간다.

코딩 제비가 무사히 흥부네 집을 찾아갈 수 있도록 **코딩 카드에 알맞은 숫자**를 써 봅니다.

▶정답 9쪽

민찬이와 동생 민영이의 쪽지를 받은 아빠가 곰 인형을 사러 장난감 가게에 갔어요. 아빠가 집에 가져오신 인형은 몇 개일지 빈칸에 알맞은 숫자를 쓰세요.

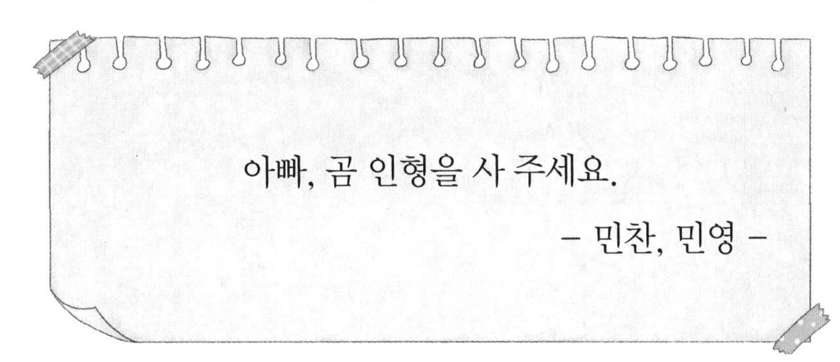
아빠, 곰 인형을 사 주세요.
– 민찬, 민영 –

곰 인형 두 개 주세요.
인형 두 개를 사시면 토끼 인형도 한 개 드려요.

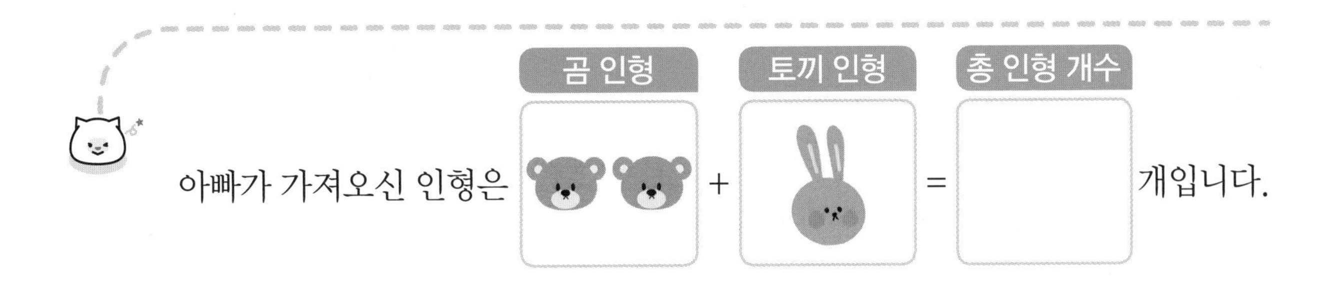
곰 인형
토끼 인형
총 인형 개수

아빠가 가져오신 인형은 (곰 인형 2개) + (토끼 인형 1개) = ☐ 개입니다.

융합 국어+수학 **(한 자리수)+(한 자리수)의 덧셈**을 해 알맞은 숫자를 빈칸에 써 봅니다.

송이가 재롱 잔치에 다른 사람도 초대하려고 해요. 누구를 초대하려고 하는지 다음 그림이 나타내는 낱자를 합해 빈칸에 쓰세요.

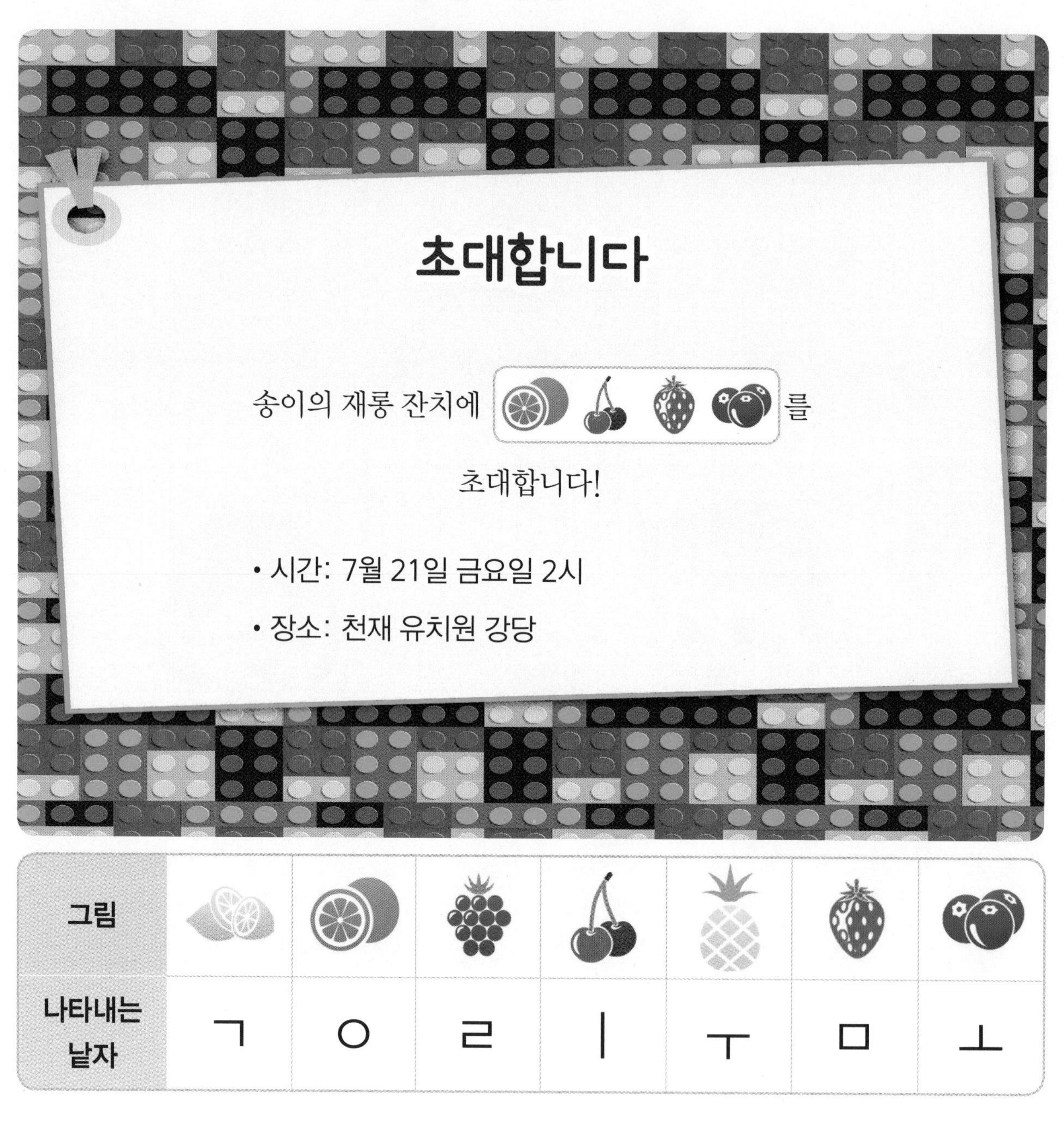
초대합니다
송이의 재롱 잔치에 를
초대합니다!
• 시간: 7월 21일 금요일 2시
• 장소: 천재 유치원 강당

그림	레몬	오렌지	블랙베리	체리	파인애플	딸기	블루베리
나타내는 낱자	ㄱ	ㅇ	ㄹ	ㅣ	ㅜ	ㅁ	ㅗ

송이는 [ ][ ]를 재롱 잔치에 초대하려고 합니다.

창의 초대하는 쪽지 속 암호를 풀어 **송이가 초대하고 싶은 사람**이 누군지 맞혀 봅니다.

▶정답 9쪽

생일에는 축하하는 쪽지를 쓸 수 있어요. 우리 가족의 생일을 조사해 보고, 보기와 같이 빈칸에 각각 쓰세요.

보기

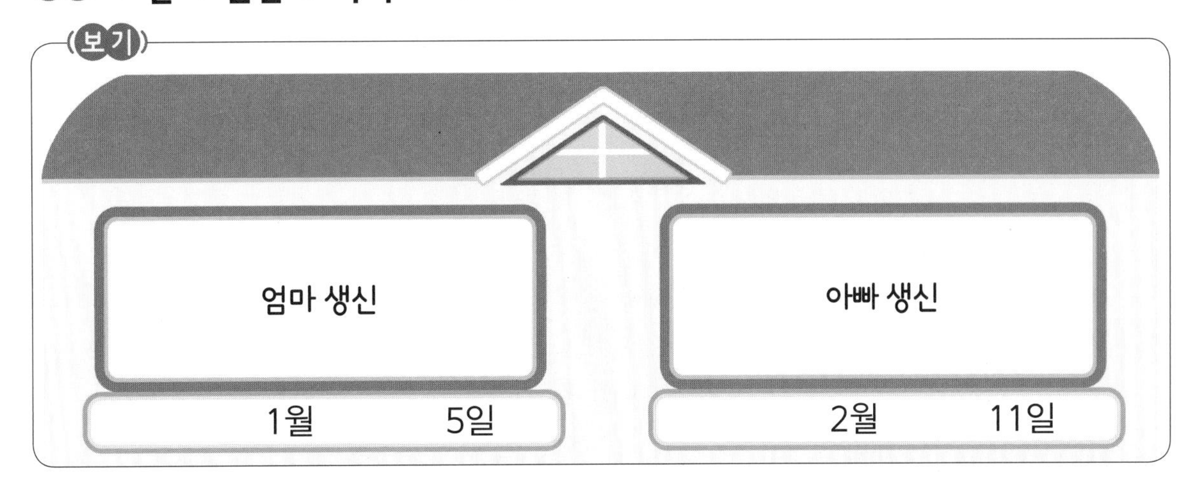

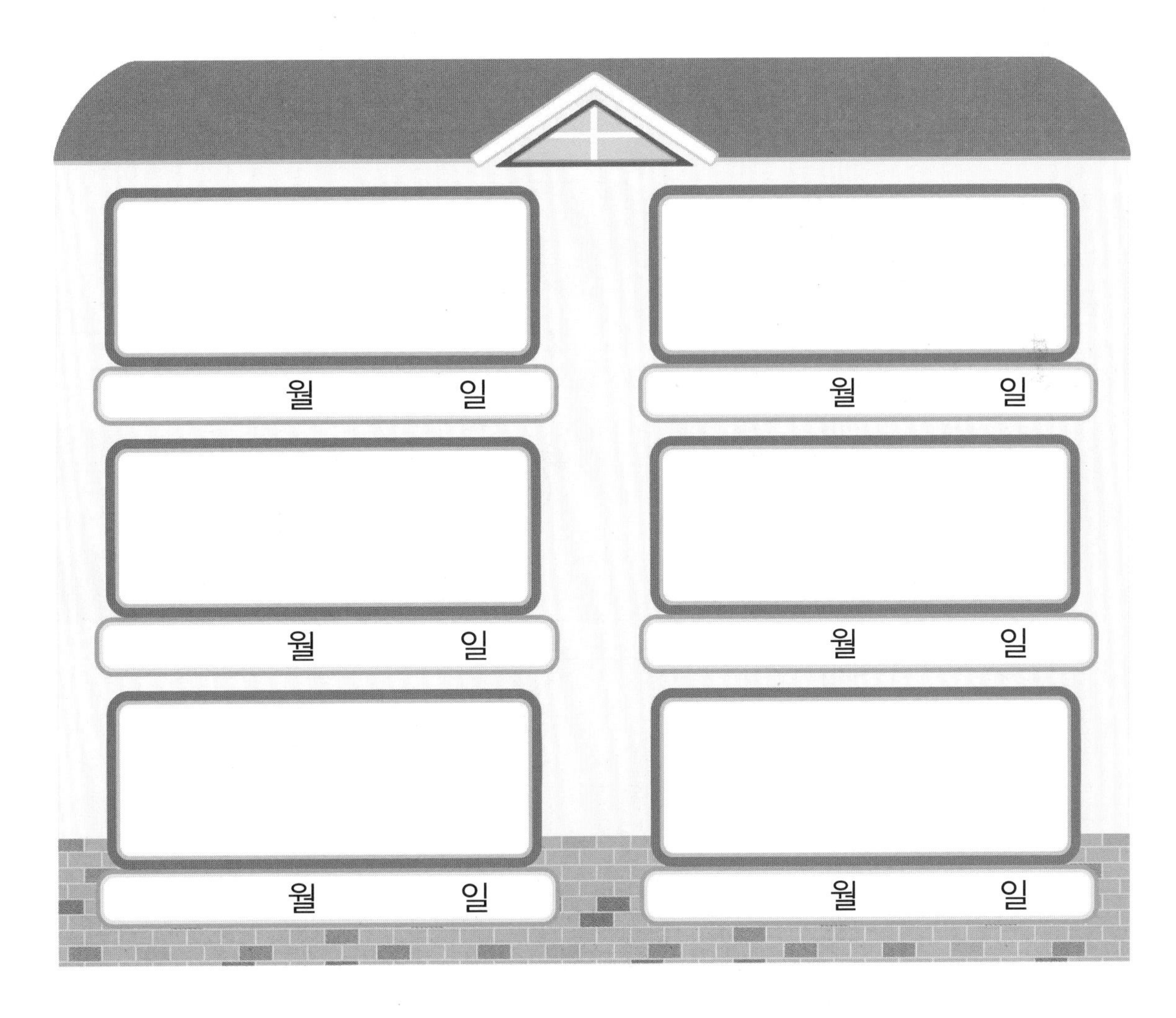

융합 국어+사회

우리 가족의 생일을 알아보고, 생일이 다가오면 축하하는 쪽지를 써 봅니다.

2주

2주에는 무엇을 공부할까? ❶

소개하는 글을 써 보자!

1일 자신을 소개해요
2일 가족을 소개해요
3일 친구를 소개해요
4일 내 장난감을 소개해요
5일 내 그림을 소개해요

2주 2주에는 무엇을 공부할까? ❷

이번 주에 배울 내용을 생각하며, 빈칸의 말을 따라 쓰세요.

1일 자신을 소개해요

2일 가족을 소개해요

3일 친구를 소개해요

▶정답 10쪽

4일 내 장난감을 소개해요

5일 내 그림을 소개해요

자신을 소개해요

자신을 소개하는 우주를 살펴보고, 우주를 색칠하여 그림을 완성해 보세요.

▶정답 11쪽

그림에 맞는 퍼즐 모양을 찾아 붙임딱지를 붙여 보세요.

퍼즐에 적힌 낱말을 각각 알맞은 빈칸에 넣어 우주가 쓴 자신을 소개하는 글을 완성하고 따라 써 보세요.

	내	V			은	V			
이	고	,	일	곱	V	살	이	다	.

1일 자신을 소개해요

다음 만화를 읽고, 친구들이 쓴 자신을 소개하는 글을 완성하세요.

▶정답 11쪽

정아와 기혁이가 자신을 소개하는 글을 쓰려고 해요. 다음 그림을 보고, 빈칸의 말을 각각 따라 쓰세요.

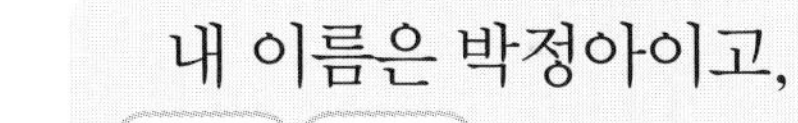

❶ 내 이름은 박정아이고, 기 린 반이다.

❷ 내 이름은 장기혁이고, 책 읽 기 를 좋아한다.

수아가 자신을 소개하는 글을 쓰려고 해요. 빈칸에 알맞은 낱말을 보기에서 각각 골라 글을 완성하고 따라 쓰세요.

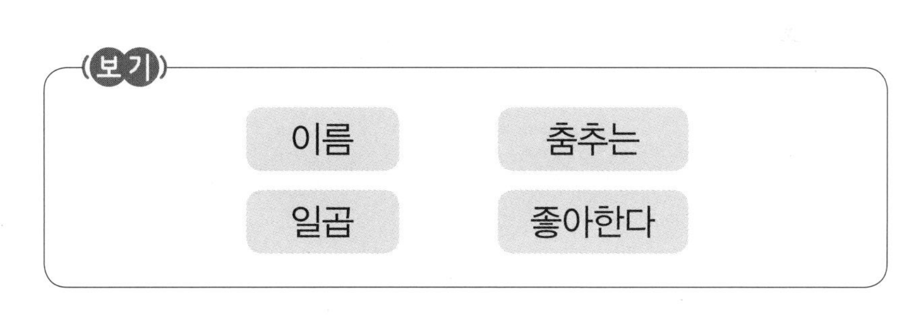

보기

이름	춤추는
일곱	좋아한다

	내	V			은	V	이	수	아
이	고	,			V	살	이	다	.
나	는	V				V	것	을	V
	.			.					

가족을 소개해요

수민이의 가족을 살펴보고, 가족을 부르는 알맞은 말을 찾아 붙임딱지를 붙여 보세요.

붙임딱지 2

▶정답 12쪽

수민이와 동생이 집으로 가는 길에 찾은 글자를 차례대로 빈칸에 넣어 수민이가 쓴 가족을 소개하는 글을 완성하고 따라 써 보세요.

	우	리	V			은	V	엄	마
아	빠	,	나	,	남	동	생	으	로
모	두	V	네	V	명	이	다	.	

2일 가족을 소개해요

다음 그림을 보고, 주희가 쓴 가족을 소개하는 글을 완성하세요.

어휘 풀이

▼ **대가족**(큰 대 大, 집 가 家, 겨레 족 族) 식구 수가 많은 가족.

예 대가족이 먹을 만둣국을 끓이기 위해서 다 같이 만두를 만들었다.

▶ 정답 12쪽

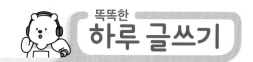

주희가 자신의 가족에 대해 소개하려고 해요. 다음 그림을 보고, 빈칸의 낱말을 각각 따라 쓰세요.

주희네 가족

❶ 우리 가족은 할아버지, 할 머 니 , 아빠, 엄마, 오빠, 나이다.

❷ 모두 여섯 명으로 대 가 족 이다.

2 단계 **1에서 쓴 문장을 넣어 주희가 쓴 글을 완성하고 따라 쓰세요.**

	❶ 우	리	V				V		
		,				,	아	빠	,
엄	마	,	오	빠	,	나	이	다	.
❷ 모	두	V			V				V
					.				

친구를 소개해요

하준이가 친구를 소개하고 있어요. 하준이가 소개하는 친구를 찾아 ○표를 해 보세요.

▶정답 13쪽

인물들이 들고 있는 글자를 사다리 타기를 하여 도착한 곳에 써 보세요.

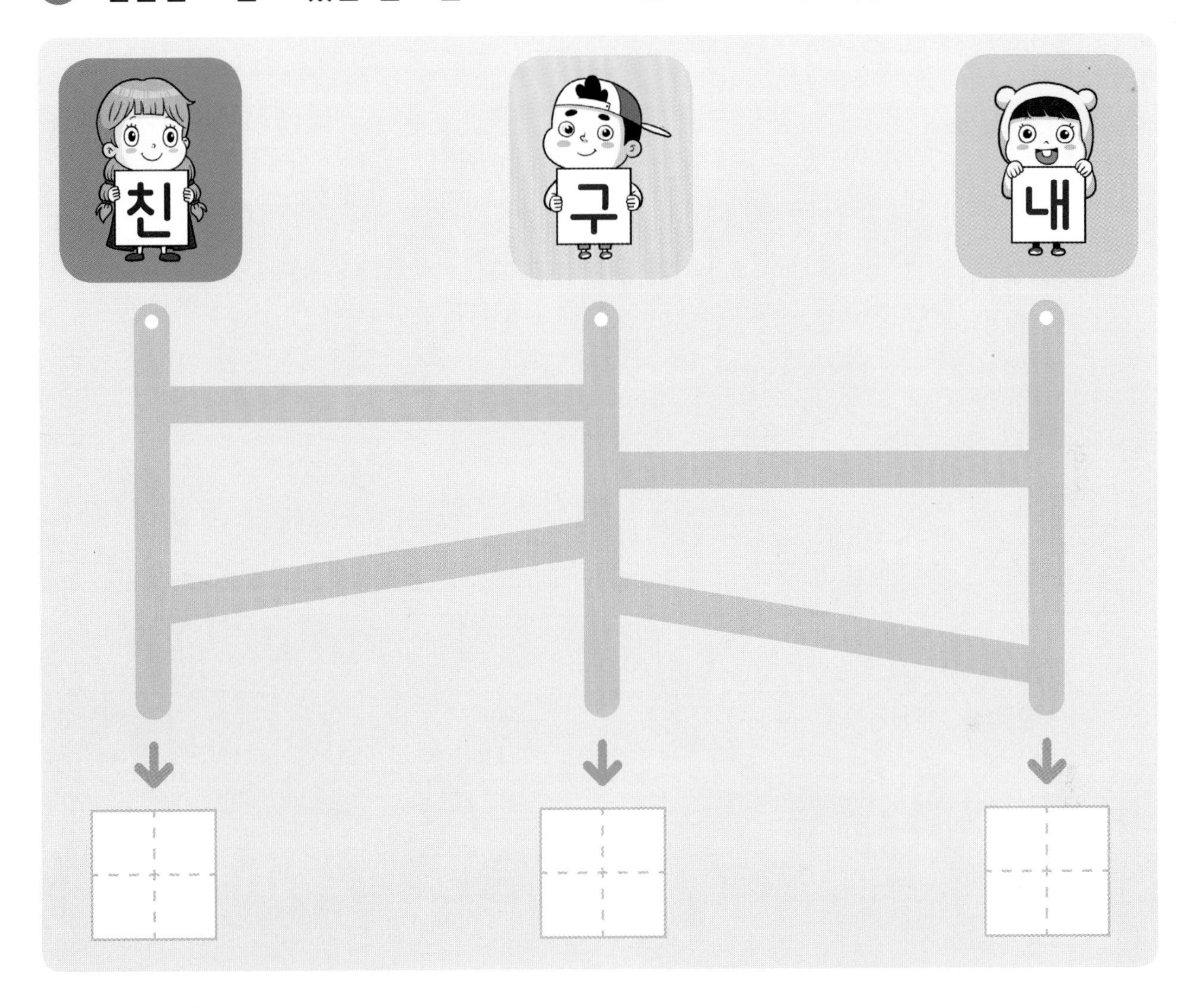

위에서 쓴 글자를 차례대로 빈칸에 넣어 하준이가 쓴 친구를 소개하는 글을 완성하고 따라 써 보세요.

		V			의	V	이	름	은
하	윤	서	이	고	,	곱	슬	머	리
이	다	.							

3일 친구를 소개해요

다음 만화를 읽고, 상윤이가 쓴 친구를 소개하는 글을 완성하세요.

어휘 풀이

타기 도로, 줄, 산, 나무, 바위 따위를 밟고 오르거나 그것을 따라 지나가는 것.

예 다람쥐는 열매를 따기 위해서 나무 타기를 시작했다.

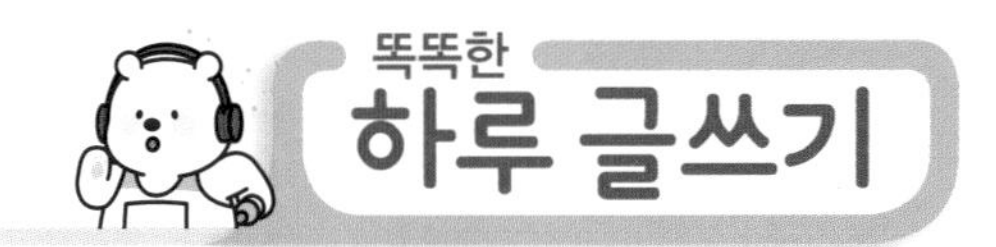

▶정답 13쪽

1단계 다음 그림을 보고, 빈칸에 알맞은 말을 보기에서 각각 골라 쓰세요.

❶ 내 ______ 의 이름은 고미이다.

❷ 고미는 ______ 를 가장 좋아한다.

2단계 1에서 쓴 문장을 넣어 상윤이가 쓴 글을 완성하고 따라 쓰세요.

	❶내	V				V				V
고	미	이	다	.	❷고	미	는	V		
	V				V			V	좋	
아	한	다	.							

2주

내 장난감을 소개해요

규현이의 장난감을 살펴보고, 그림에 알맞은 장난감을 찾아 붙임딱지를 붙여 보세요.

붙임딱지 2

▶정답 14쪽

아라가 설명하는 낱말을 찾아 빈칸에 넣어 규현이가 쓴 장난감을 소개하는 글을 완성하고 따라 써 보세요.

낱말의 뜻
노래를 부르는 소리.
노
랫
소
리
우리 V 장난감은 V 누
르면 V 가 V 난
다.

4일 내 장난감을 소개해요

다음 만화를 읽고, 하은이가 쓴 장난감을 소개하는 글을 완성하세요.

어휘 풀이

- **장난감** 아이들이 가지고 노는 여러 가지 물건.
  예 승주는 가게에 놓인 장난감을 보고 발걸음을 멈추었다.
- **우주선**(집 우 宇, 집 주 宙, 배 선 船) 우주 공간을 날아다닐 수 있도록 만든 물체.

▲ 우주선

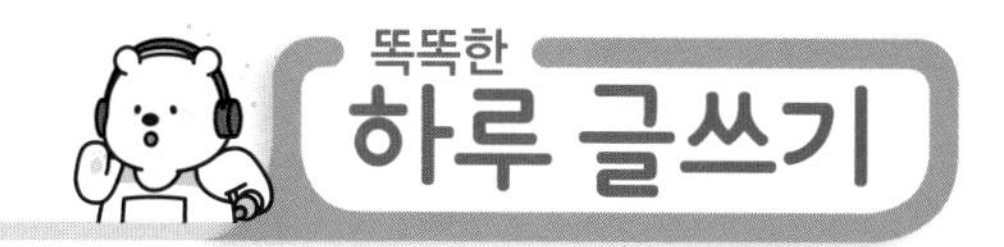

▶정답 14쪽

하은이가 우주선 장난감을 친구들에게 소개하려고 해요. 다음 그림을 보고, 빈칸에 알맞은 낱말을 보기에서 각각 골라 쓰세요.

보기

성큼성큼 | 반짝반짝 | 빨간색 | 초록색

① 우주선 장난감은 윗부분이 ______ 이고, 뾰족하다.

② 우주선 장난감의 창문에서는 ______ 빛이 난다.

1에서 쓴 내용을 넣어 하은이가 쓴 글을 완성하고 따라 쓰세요.

	내	V	우	주	선	V	장	난	감
은	V	윗	부	분	이	V			
		,					.	창	문
에	서	는	V					V	
	V			.					

2주

내 그림을 소개해요

성현이가 그림을 그리고 있어요. 성현이가 그린 그림을 색칠하여 공룡 그림을 완성해 보세요.

▶정답 15쪽

그림에 맞는 퍼즐 모양을 찾아 붙임딱지를 붙여 보세요.

퍼즐에 적힌 낱말을 각각 알맞은 빈칸에 넣어 그림을 소개하는 글을 완성하고 따라 써 보세요.

	내	가	V	그	린	V	그	림	은
	이	V	있	는	V			V	그
림	이	다	.						

내 그림을 소개해요

다음 만화를 읽고, 민우가 쓴 자신의 그림을 소개하는 글을 완성하세요.

▶정답 15쪽

민우가 자신이 그린 그림을 소개하려고 해요. 다음 그림을 보고, 빈칸의 낱말을 각각 따라 쓰세요.

❶ 이 그림은 바 닷 속 풍경을 그린 그림이다.

❷ 물 고 기 들이 자유롭게 헤엄치는 모습을 그렸다.

1에서 쓴 내용을 넣어 민우가 쓴 글을 완성하고 따라 쓰세요.

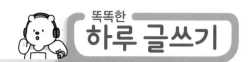

2주  누구나 100점 테스트

1 기혁이가 하는 말을 읽고, 빈칸에 알맞은 말을 넣어 기혁이가 쓴 자신을 소개하는 글을 완성하세요.

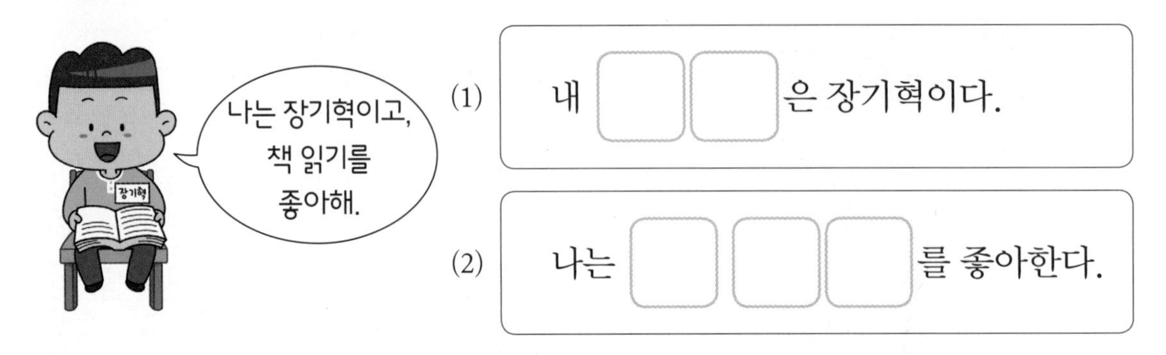

나는 장기혁이고, 책 읽기를 좋아해.
장기혁

(1) 내 ☐☐은 장기혁이다.

(2) 나는 ☐☐☐를 좋아한다.

2 다음 그림을 보고, 수민이가 쓴 가족을 소개하는 글에 들어갈 내용으로 알맞은 것에 모두 ○표를 하세요.

우리 가족은 (엄마, 누나, 아빠), 나, 남동생으로 모두 네 명이다.

3 상윤이가 친구를 소개하는 글을 쓰려고 해요. 다음 중 알맞은 낱말을 골라 따라 쓰세요.

내 친구 고미는 (나무 타기, 그네 타기)를 가장 좋아한다.

▶ 정답 16쪽

글쓰기

4 다음 그림을 보고, 보기에서 알맞은 말을 골라 하은이가 쓴 장난감을 소개하는 글을 완성하고 따라 쓰세요.

보기

반짝반짝 빛이 난다

덩실덩실 춤을 춘다

5 다음 그림을 보고, 보기의 글자들을 한 번씩 사용해 그림을 소개하는 글을 완성하고 따라 쓰세요.

이 그림은 ☐이 있는 ☐☐ 그림이다.

산에서 만날 수 있는 흉내 내는 말을 살펴보고, 따라 써 봐요. 흉내 내는 말에 알맞은 붙임딱지도 함께 붙여 보세요. 붙임딱지 3

냐옹~
산에 오르면 어떤 흉내 내는 말을 만날 수 있을까?

시냇물 소리가 들려.
졸졸

산새들이 우는 소리야!
짹짹

바람은 저렇게 부는구나.
살랑살랑

떨어진 잎사귀를 밟으면 이런 소리가 나지!
바스락

▶ 정답 16쪽

산에서 만날 수 있는 흉내 내는 말의 뜻을 알아봐요!

알맞은 모습의 붙임딱지를 붙여 보아요.

졸졸

가는 물줄기가 잇따라 부드럽게 흐르는 소리나 모양.

알맞은 모습의 붙임딱지를 붙여 보아요.

짹짹

자꾸 참새 따위가 우는 소리.

알맞은 모습의 붙임딱지를 붙여 보아요.

살랑살랑

바람이 가볍게 자꾸 부는 모양.

알맞은 모습의 붙임딱지를 붙여 보아요.

바스락

마른 잎이나 나뭇가지, 종이 등을 가볍게 밟거나 뒤적일 때 나는 소리.

채현이는 새로 사귄 친구를 집에 데려가려고 해요. 갈림길에서 만난 글이 무엇을 소개하는 글인지 알맞은 것을 따라 집으로 가는 길을 선으로 이어 보세요.

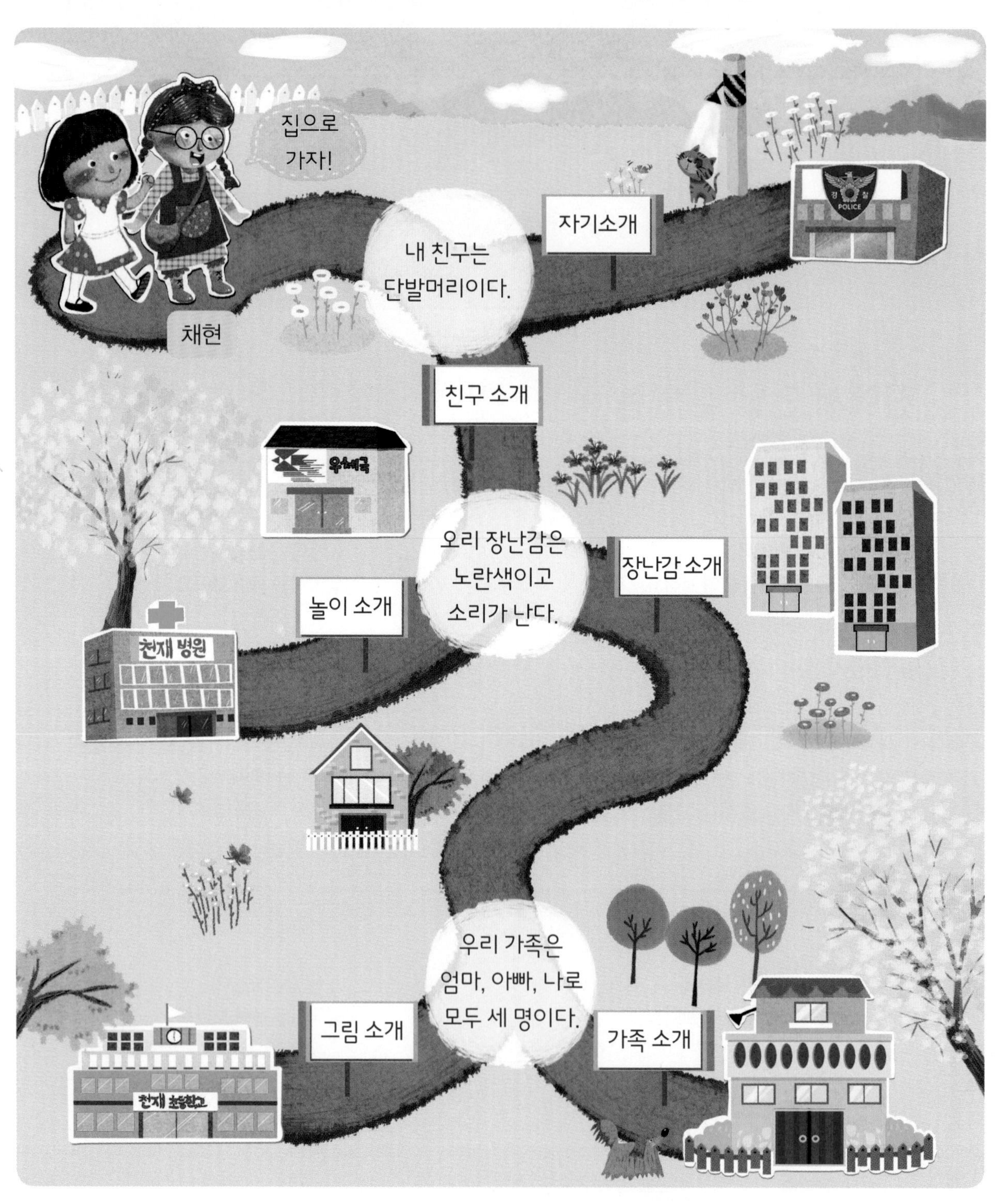

창의 **무엇을 소개하는 글**인지 생각하며 채현이의 집을 찾아봅니다.

▶ 정답 17쪽

지유가 친구를 찾아가려고 해요. 지유가 소개하는 친구를 만날 수 있도록 빈칸에 알맞은 화살표 모양을 그려 보세요.

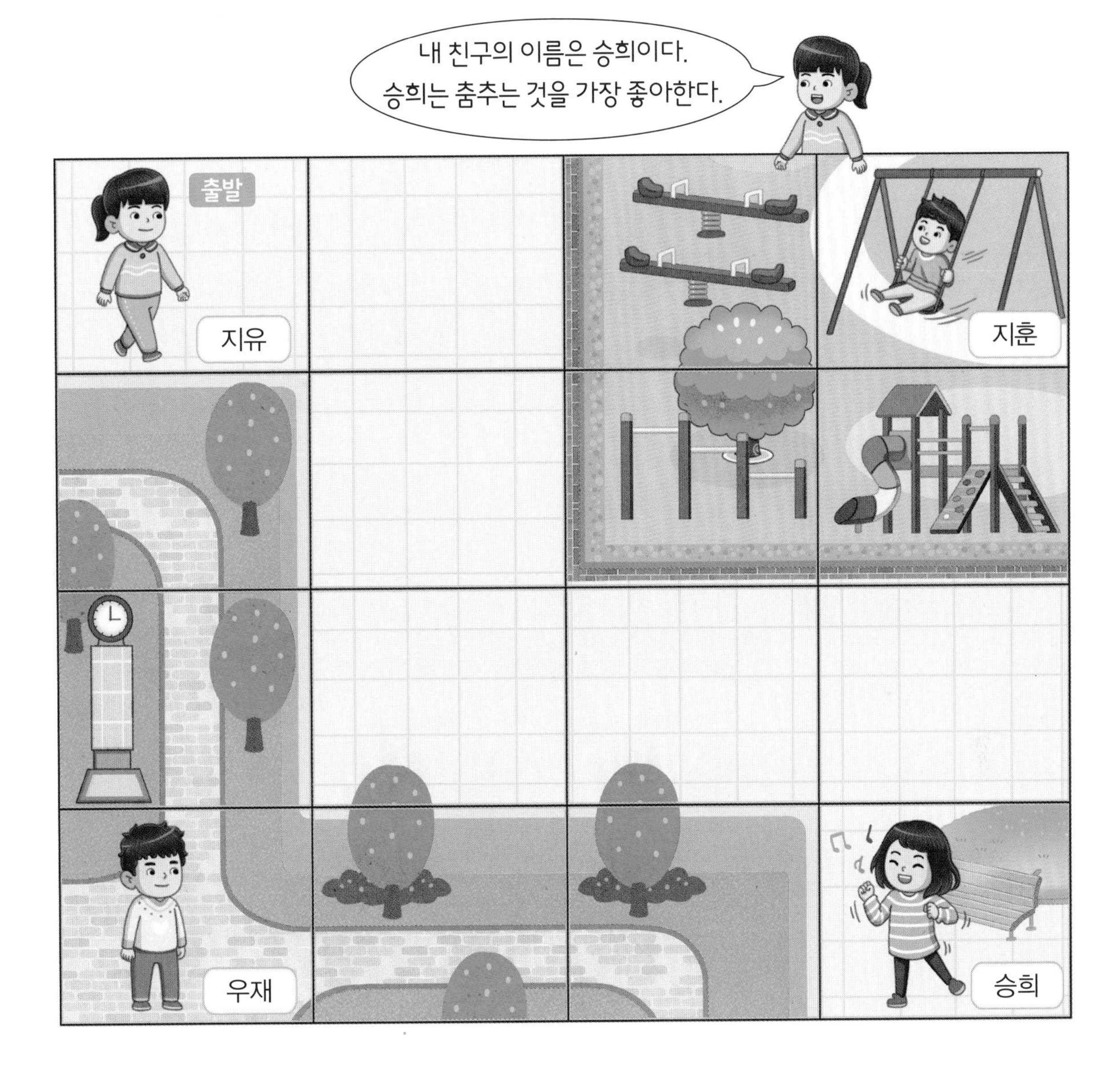

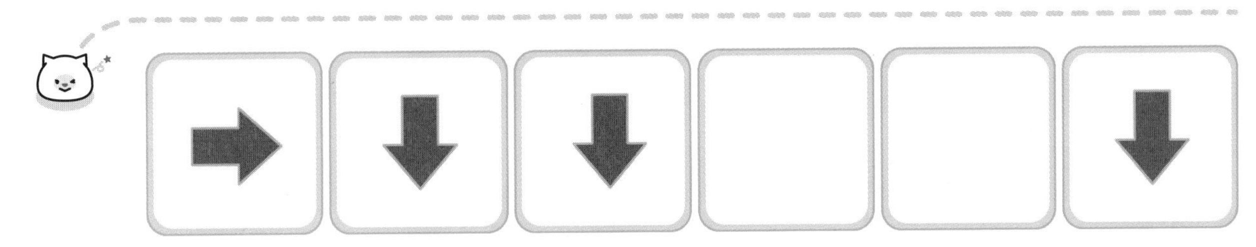

코딩 지유가 승희를 만날 수 있도록 **알맞은 화살표 모양을 그려 코딩 카드를 완성해** 봅니다.

규현이가 자신이 가진 장난감이 모두 몇 개인지 세어 보려고 해요. 종류가 같은 장난감의 개수를 세어 각각 써넣고, 규현이가 가진 장난감은 모두 몇 개인지 알아보세요.

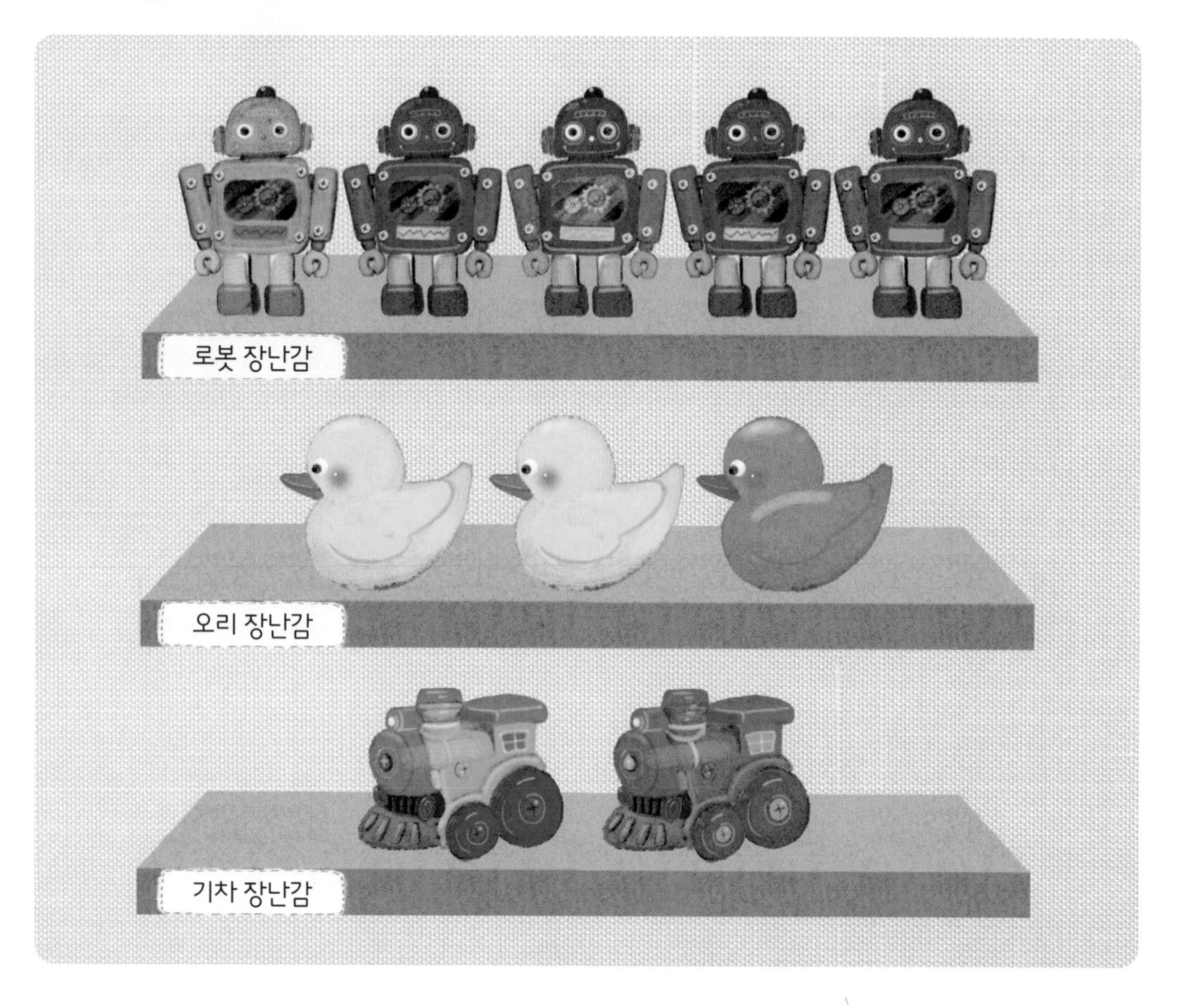

융합 국어+수학

규현이의 장난감을 세어 보며, **한 자릿수 덧셈**을 해 봅니다.

▶정답 17쪽

종수가 그림을 그리고, 그림을 소개하는 글을 썼어요. 종수의 그림에 사용된 색깔의 이름으로 알맞은 것에 각각 ◯표를 하세요.

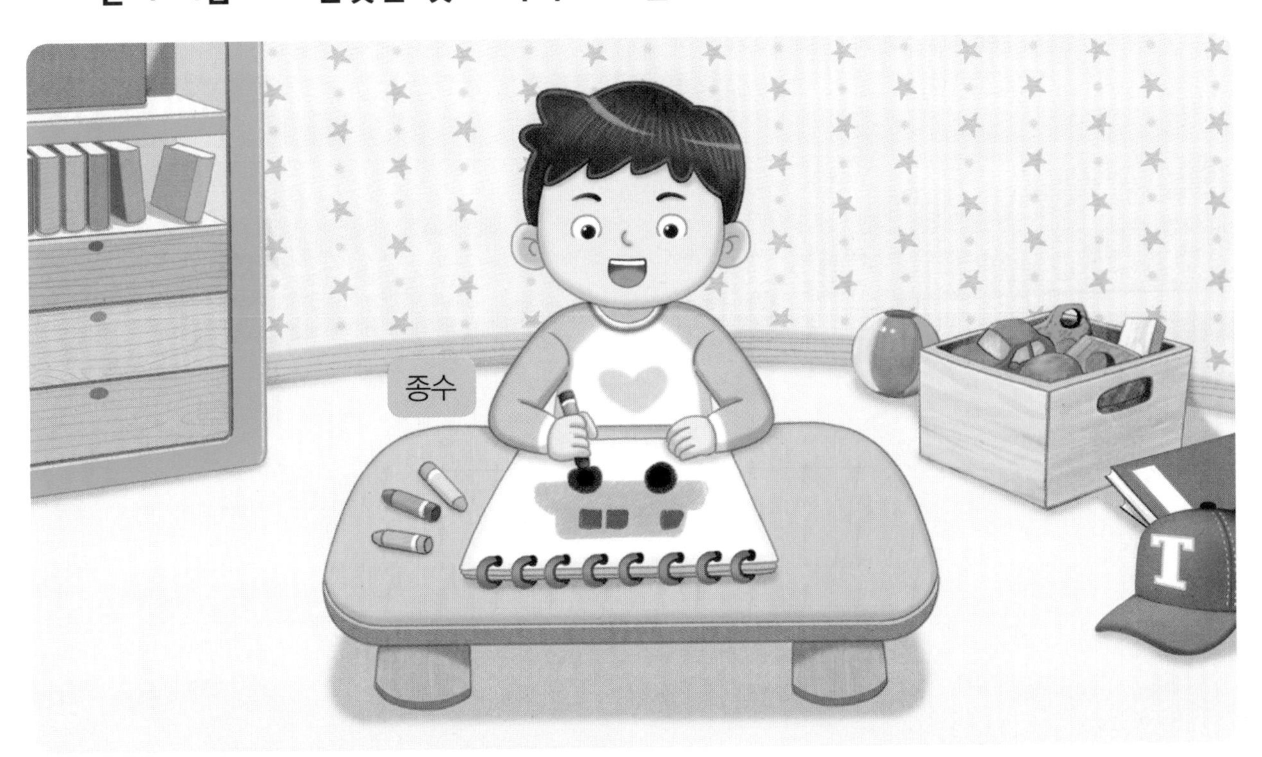

나는 크고 멋진 자동차 그림을 그렸다. 그리고 좋아하는 파란색, 연두색, 검은색으로 자동차를 색칠했다.

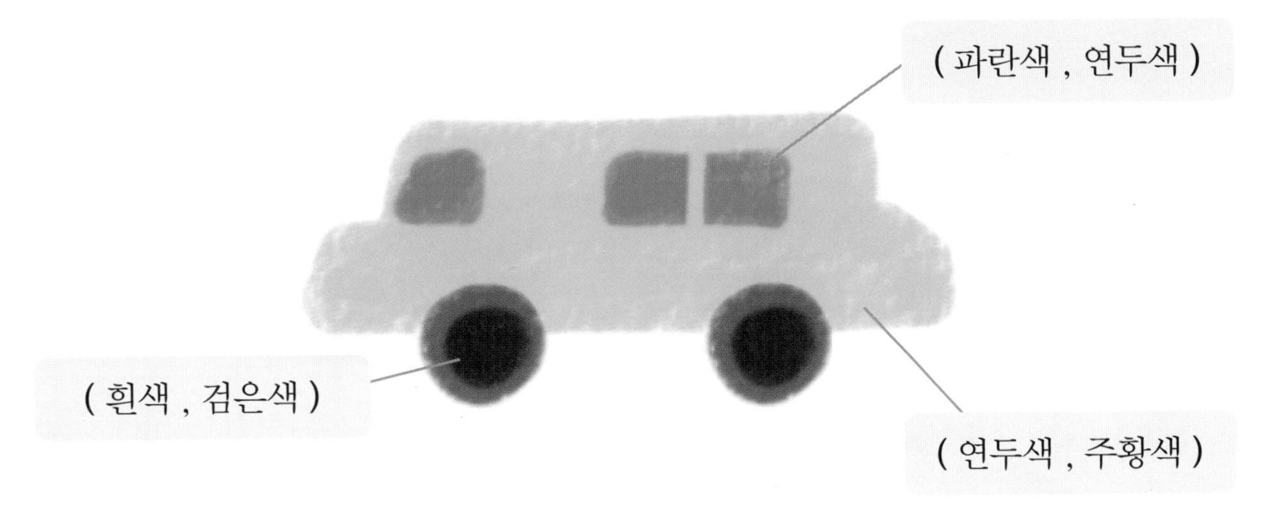

 **창의** 그림 속 자동차의 모습을 살펴보며 **그림을 소개하는 글**을 제대로 썼는지 읽어 봅니다.

3주

3주에는 무엇을 공부할까? ①

메모를 써 보자!

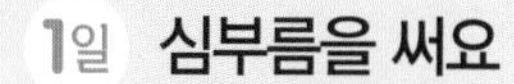

미안해. 아직도 내 마법 실력이 부족한가 봐.
미안해하지 마.
메모를 하지 않은 우리 잘못이야.

메모가 뭐야?

메모는 잊지 않기 위해 간단하게 적은 글을 말해.

갑자기 뭘 쓰는 거야?

내가 살 건 잊어버리지 말아야지.
끝이 없네.
사탕, 과자, 젤리
아이스크림,
초콜릿

3주 3주에는 무엇을 공부할까? ❷

이번 주에 배울 내용을 생각하며, 빈칸의 말을 따라 쓰세요.

1일 심부름을 써요

2일 알림장을 써요

3일 오늘 해야 할 일을 써요

▶정답 18쪽

4일 독서 메모를 써요

5일 용돈 기입장을 써요

3주

1일 심부름을 써요

유미가 가게에서 사야 할 것을 모두 찾아 ○표를 해 보세요.

▶정답 19쪽

유미가 계산대까지 가는 길에 있는 물건의 이름을 차례대로 빈칸에 넣어 유미가 쓴 메모를 완성하고 따라 써 보세요.

1일 심부름을 써요

다음 만화를 읽고, 아기 다람쥐가 쓴 메모를 완성하세요.

▶ 정답 19쪽

1단계 아기 다람쥐가 해야 할 심부름에 맞게 빈칸의 낱말을 각각 따라 쓰세요.

❶ 토끼에게 쪽 지 를 준다. ❷ 도 토 리 를 따 온다.

2단계 1의 문장을 이용해 아기 다람쥐가 쓴 메모를 완성하세요.

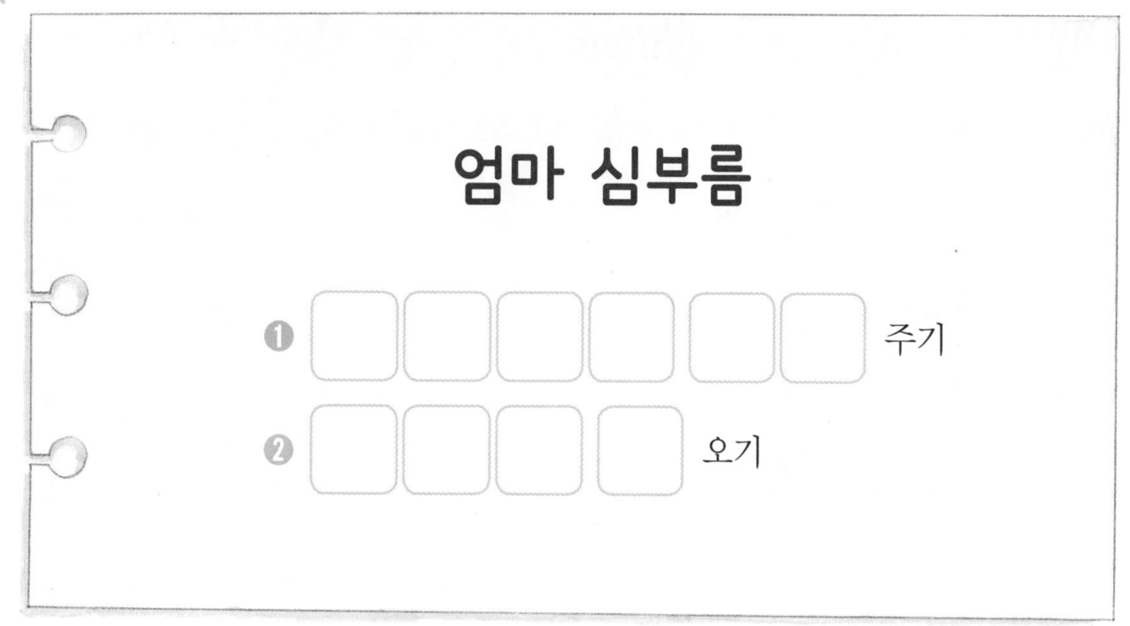

2일 알림장을 써요

갯벌 체험을 하는 도현이의 모습을 떠올리며, 그림에 알맞은 붙임딱지를 붙여 보세요. 붙임딱지 3

▶정답 20쪽

다음 그림을 보고 갯벌 체험에 필요한 준비물을 선으로 이어 보세요. 또 준비물의 이름을 빈칸에 넣어 도현이가 알림장에 쓴 메모를 완성하고 따라 써 보세요.

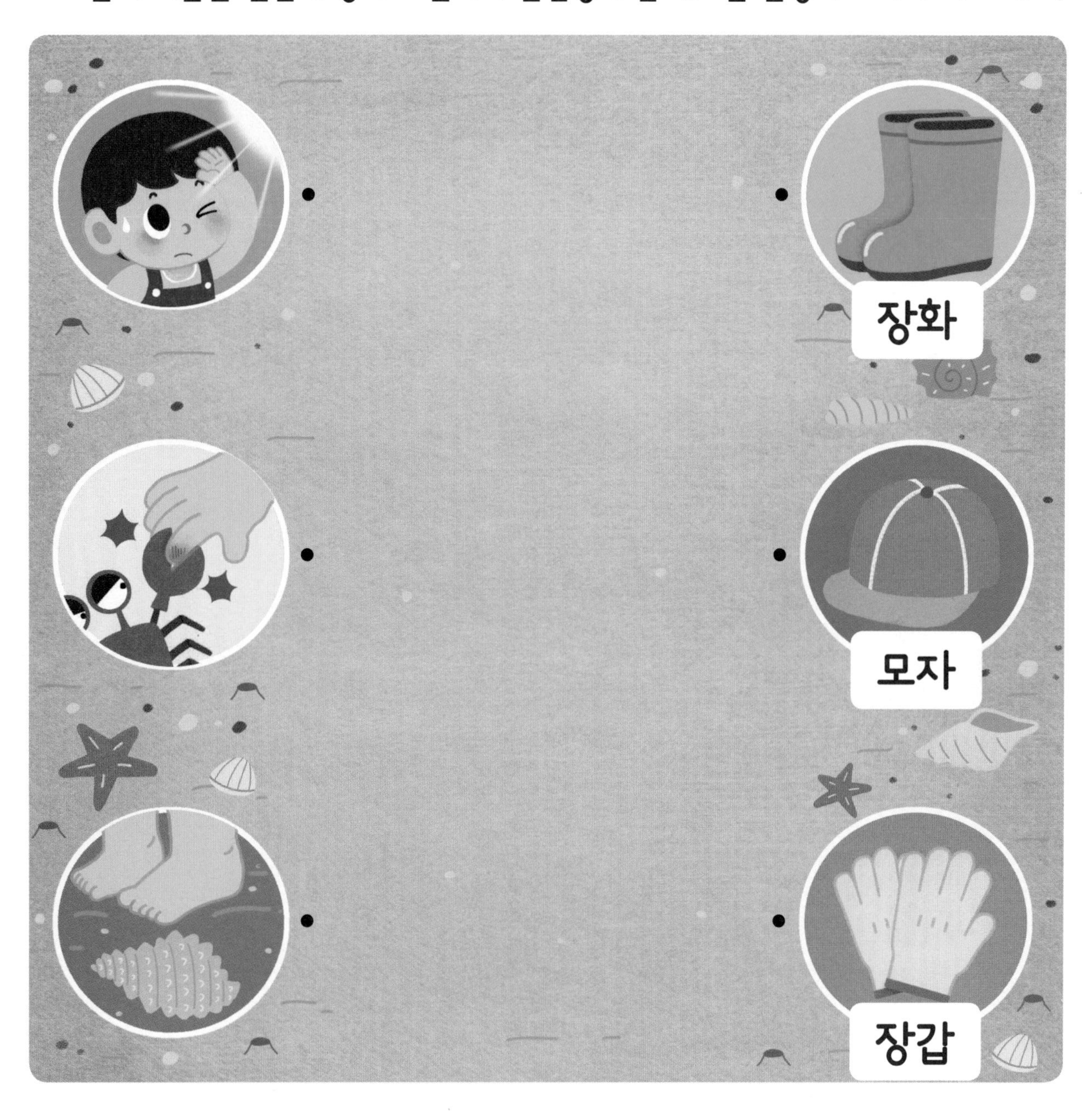

	모	자	,			,			V
준	비	하	기						

2일 알림장을 써요

다음 그림을 보고, 지수가 쓴 알림장을 완성하세요.

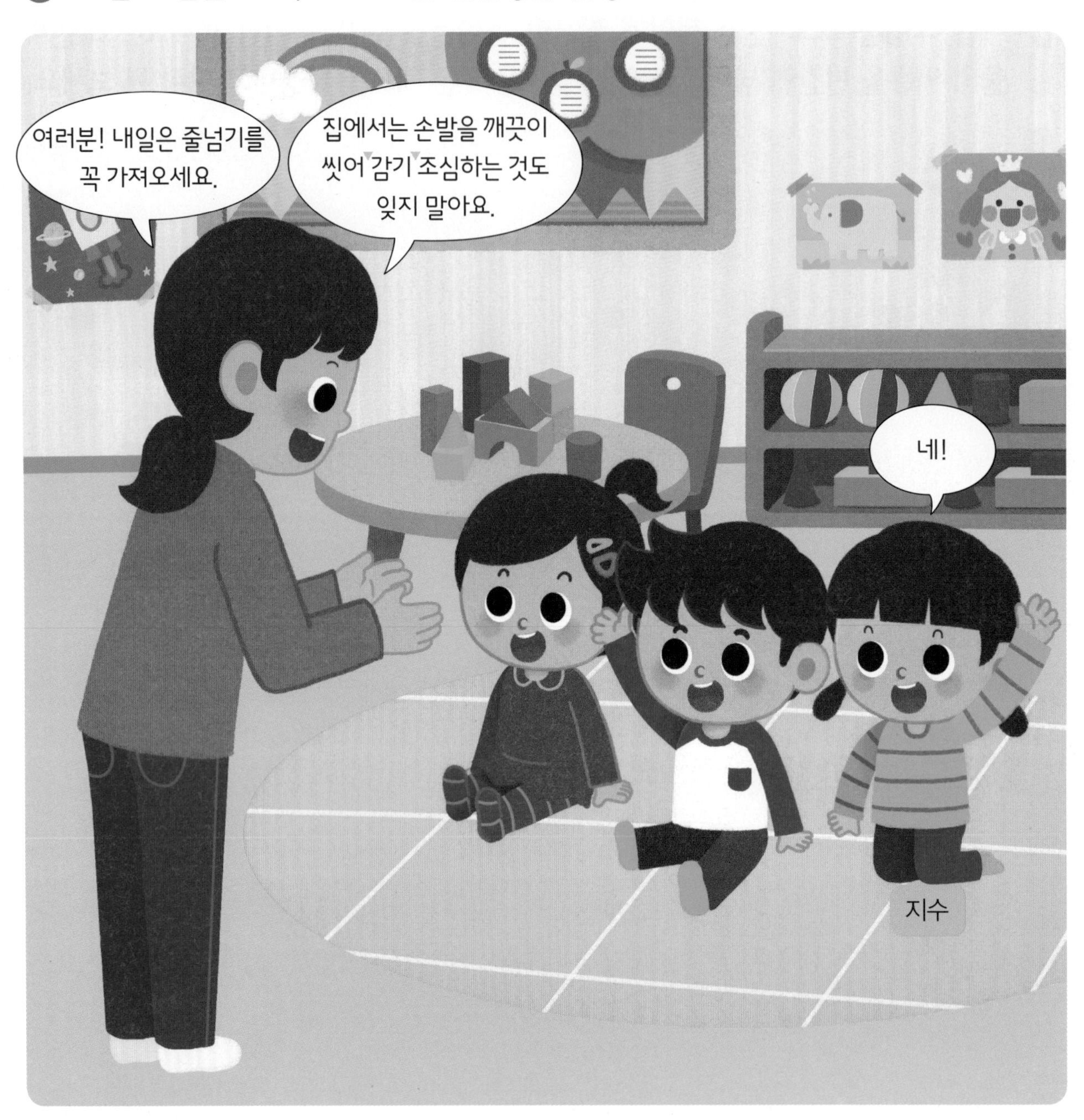

여러분! 내일은 줄넘기를 꼭 가져오세요.
집에서는 손발을 깨끗이 씻어 감기 조심하는 것도 잊지 말아요.
네!
지수

어휘 풀이

- **알림장**(문서 장 狀) 알려야 할 내용을 적은 글. ㉠ 아이는 알림장에 준비물을 적었다.
- **감기**(느낄 감 感, 기운 기 氣) 보통 기침, 콧물, 두통 등의 증상이 있는, 전염성이 있는 병.
- **조심**(잡을 조 操, 마음 심 心) 좋지 않은 일을 겪지 않도록 말이나 행동 등에 주의를 함.
  ㉠ 모기에 물리지 않도록 조심하자.

▶ 정답 20쪽

1 단계 선생님께서 말씀하신 내용에 맞게 빈칸에 알맞은 낱말을 보기에서 각각 골라 쓰세요.

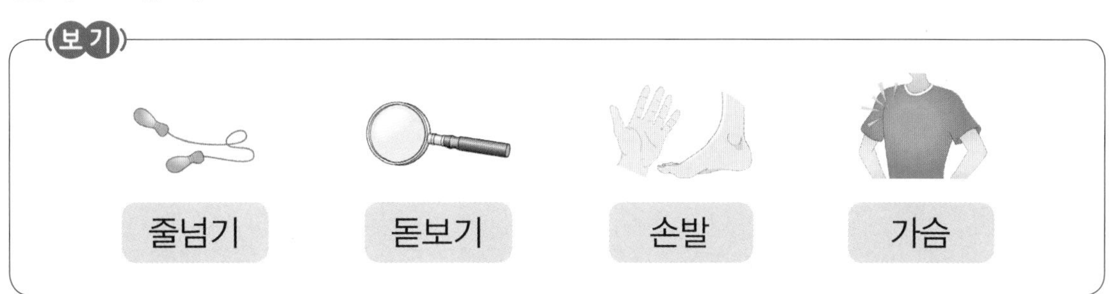

❶ 를 가져온다.

❷ 을 깨끗이 씻어 감기를 조심한다.

2 단계 1의 문장을 이용해 지수가 쓴 알림장을 완성하세요.

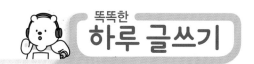

3일 오늘 해야 할 일을 써요

민지가 오늘 해야 할 일을 살펴보며, 숨은 그림을 모두 찾아 ○표를 해 보세요.

▶정답 21쪽

민지가 친구를 만나러 가는 길에 찾은 글자를 차례대로 빈칸에 넣어 오늘 해야 할 일을 쓴 메모를 완성하고 따라 써 보세요.

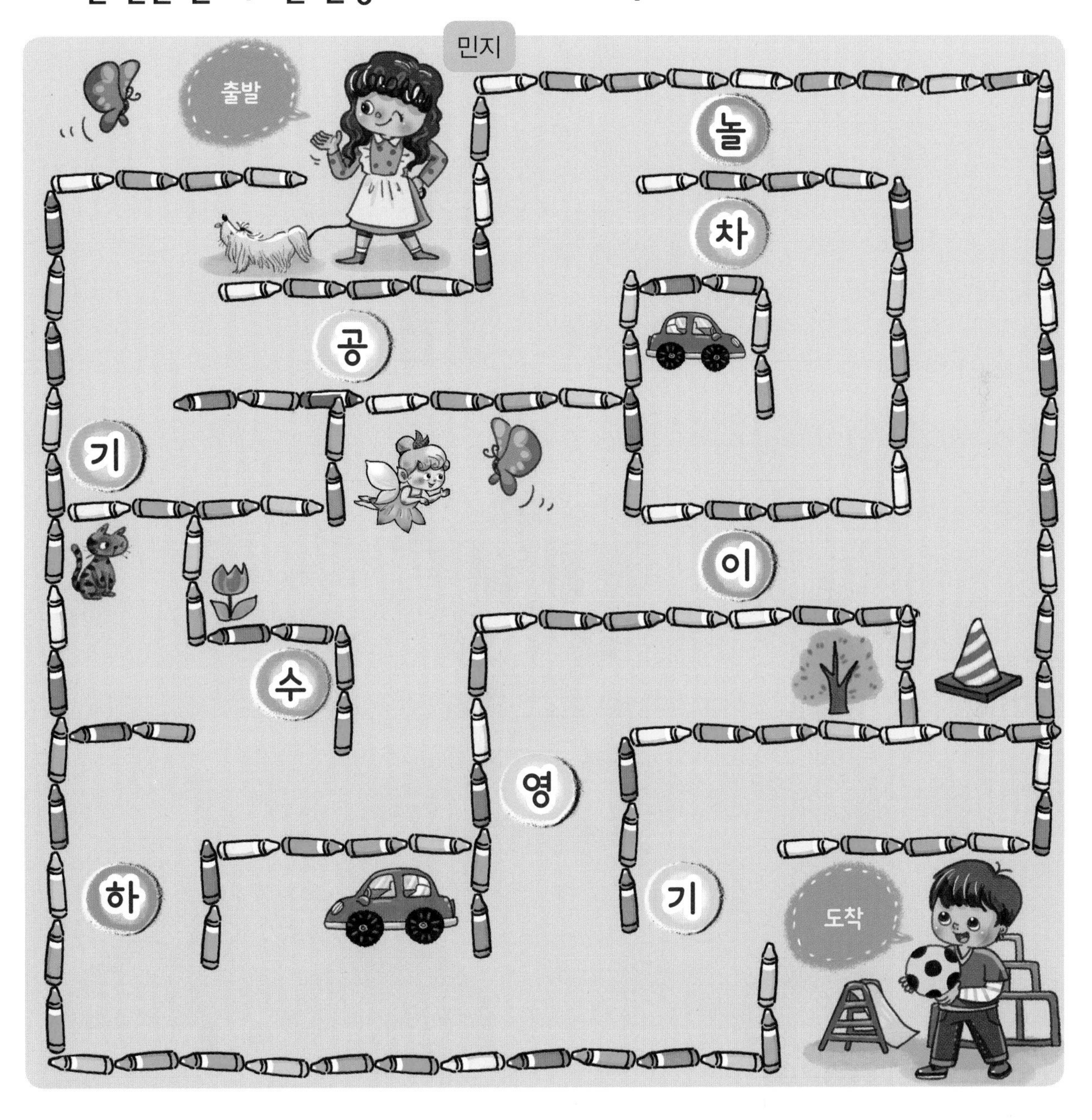

•	친	구	와	V					
•	강	아	지	와	V	산	책	하	기

3주

3일 오늘 해야 할 일을 써요

다음 그림을 보고, 곰돌이가 쓴 메모를 완성하세요.

▶정답 21쪽

1단계 곰돌이가 떠올린 오늘 해야 할 일에 맞게 빈칸의 낱말을 각각 따라 쓰세요.

❶ 화분에 물 을 준다.

❷ 『토끼와 거 북 이』를 읽는다.

❸ 물 고 기 를 잡는다.

2단계 1의 문장을 이용해 곰돌이가 쓴 메모를 완성하세요.

오늘 해야 할 일

❶ □□□□ 주기

❷ 『□□□□□□』 읽기

❸ □□□□□

4일 독서 메모를 써요

친구들이 책을 읽고 한 말을 살펴보며, 그림에 알맞은 붙임딱지를 붙여 보세요.

붙임딱지 4

★붙임딱지
★붙임딱지
농부의 욕심부리는 표정 좀 봐. 거위 배 속에 황금알이 잔뜩 들어 있다고 생각하다니!
거위 배를 가르려고 하네. 결국 황금알을 낳는 거위를 잃고 말 거야.
황금알을 낳는 거위

▶정답 22쪽

그림에 맞는 퍼즐 모양을 찾아 붙임딱지를 붙여 보세요.

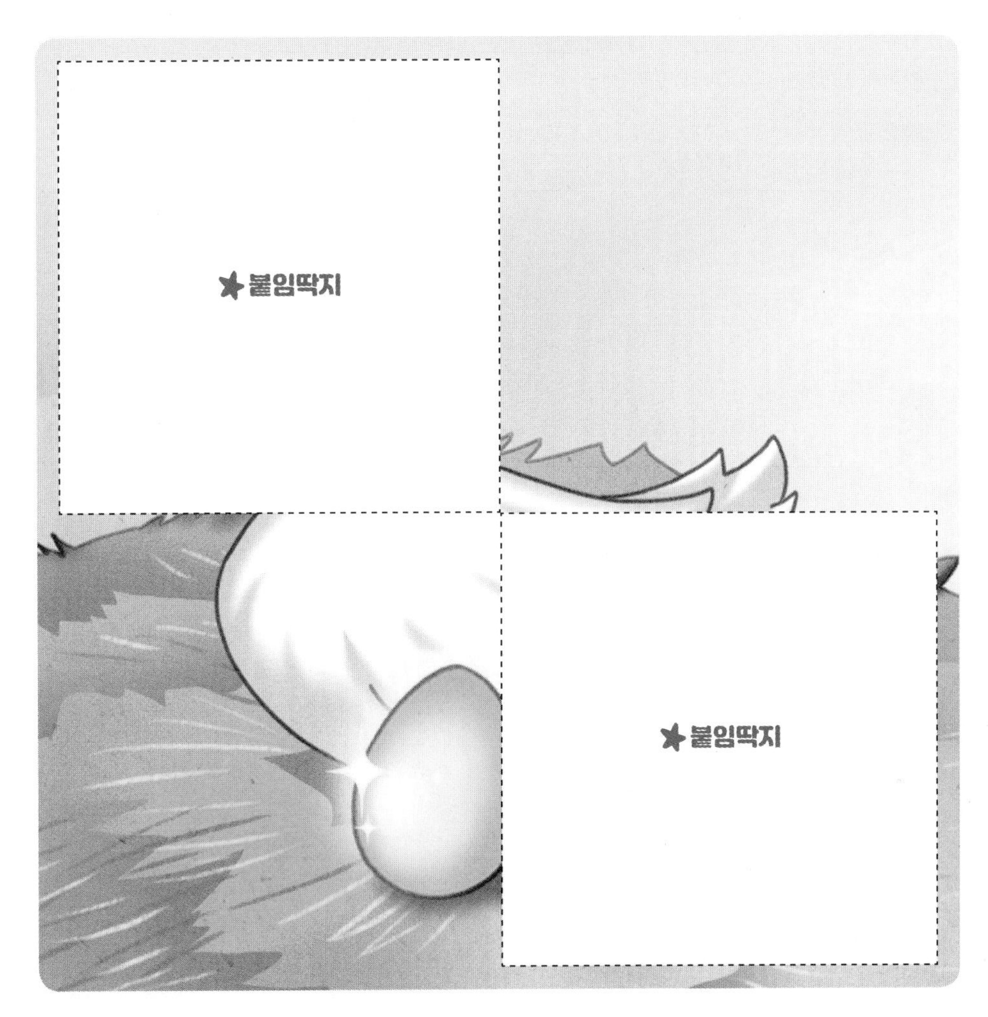

퍼즐에 적힌 낱말을 각각 알맞은 빈칸에 넣어 독서 메모를 완성하고 따라 써 보세요.

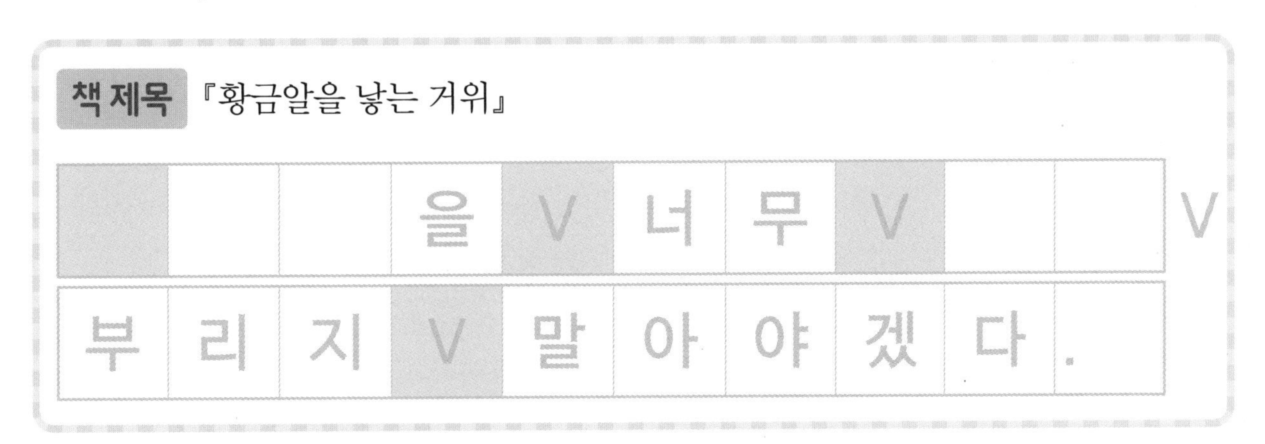

책 제목 『황금알을 낳는 거위』
을 V 너 무 V V
부 리 지 V 말 아 야 겠 다 .

독서 메모를 써요

다음 만화를 읽고, 『금도끼 은도끼』를 읽고 쓴 독서 메모를 완성하세요.

이 금도끼, 은도끼가 네 도끼냐?
아닙니다.

이 쇠도끼가 네 도끼냐?
네! 맞습니다.

정직한 마음을 가졌구나. 모두 가지거라.

어휘 풀이

- **독서**(읽을 독 讀, 글 서 書) **메모** 책을 읽은 후에 드는 생각이나 느낌을 중심으로 쓰는 글. 시간이 지난 후에도 책에 대한 생각이나 느낌을 쉽게 떠올릴 수 있어서 좋음.
- **도끼** 굵은 나무를 찍거나 장작을 패는 데 쓰는 도구.
- **정직**(바를 정 正, 곧을 직 直)**한** 마음에 거짓이나 꾸밈이 없고 바르고 곧은.

▶ 정답 22쪽

1단계 정음이가 책을 읽고 느낀 점을 쓰려고 해요. 빈칸에 알맞은 낱말을 보기에서 각각 골라 쓰세요.

정직한 마음으로
살아야겠구나.
금도끼 은도끼

보기

은도끼	쇠도끼	정직	창피

❶ 책 제목: 『금도끼 　　　　』

❷ 느낀 점: 나도 나무꾼처럼 　　　　한 마음으로 살아야겠다.

2단계 1의 내용을 넣어 정음이가 『금도끼 은도끼』를 읽고 쓴 독서 메모를 완성하고 따라 쓰세요.

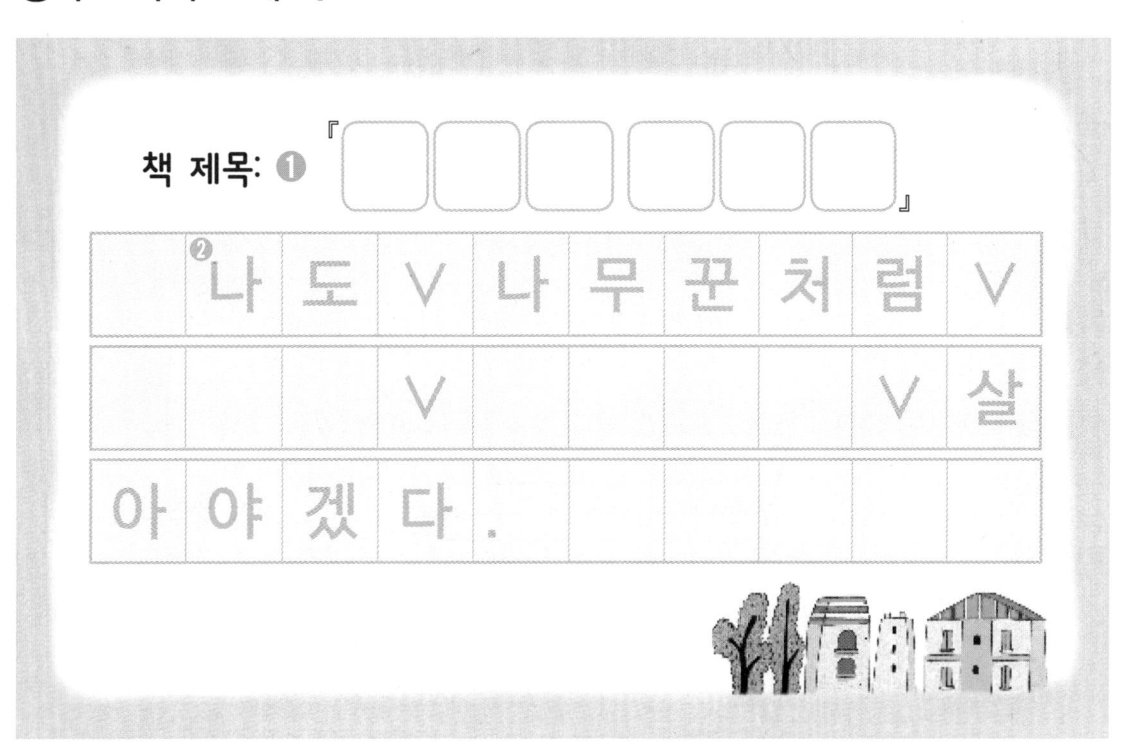

책 제목: ❶ 『 』
❷ 나 도 ∨ 나 무 꾼 처 럼 ∨
∨ ∨ 살
아 야 겠 다 .

용돈 기입장을 써요

자신의 용돈으로 사고 싶은 것을 모두 골라 붙임딱지를 붙여 보세요.

▶정답 23쪽

사고 싶은 것을 한 가지 골라 사다리 타기를 하여 가격을 알아보세요. 그리고 고른 물건의 이름과 가격을 각각 빈칸에 넣어 메모를 완성하고 따라 써 보세요.

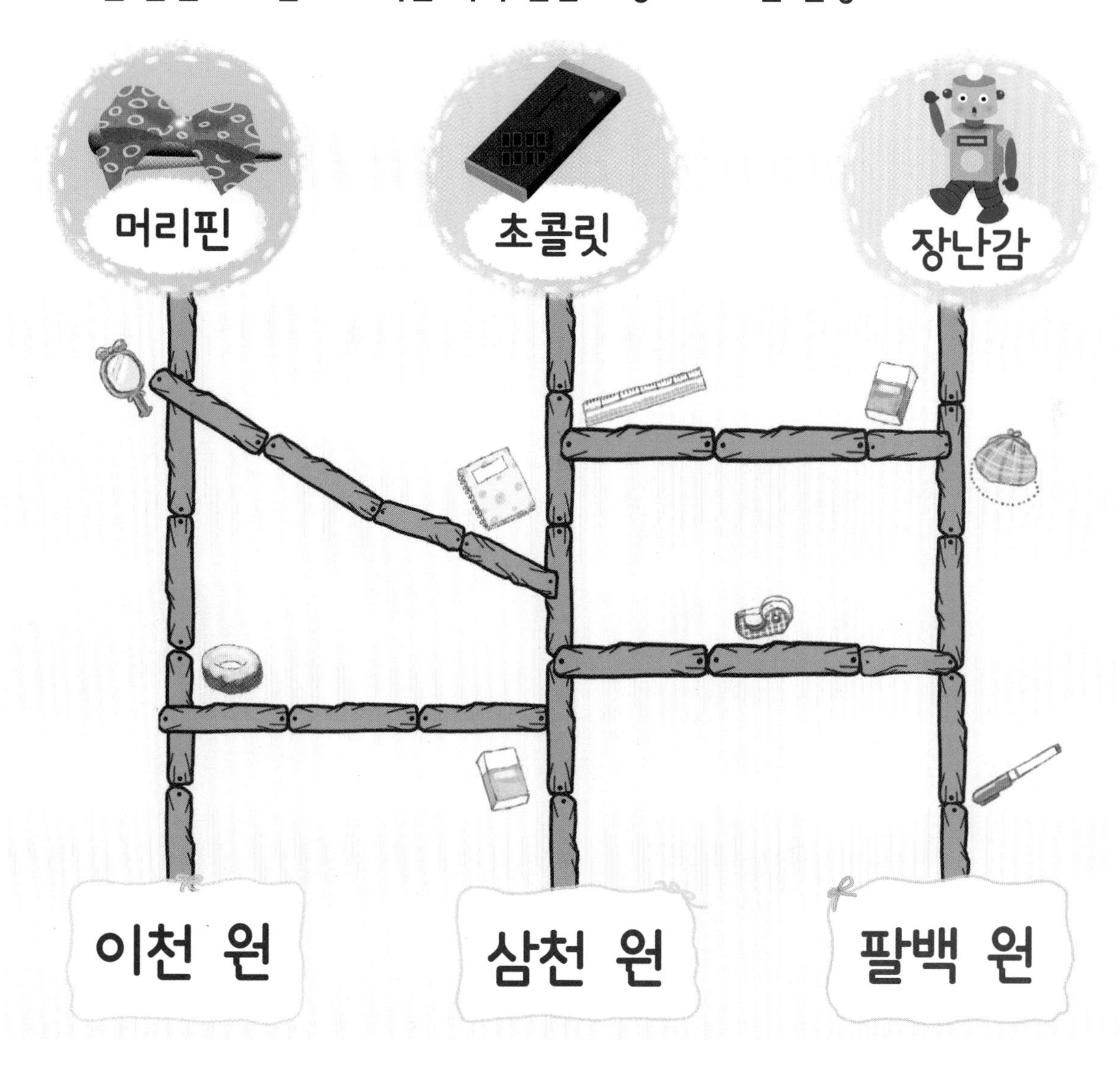

3주

5일 용돈 기입장을 써요

다음 그림을 보고, 민호가 쓴 용돈 기입장을 완성하세요.

어휘 풀이

- **용**(쓸 용 用)**돈 기입장**(기록할 기 記, 들 입 入, 휘장 장 帳) 용돈을 언제, 어떤 곳에, 얼마만큼 썼는지 적어 넣는 책이나 공책. 계획적으로 용돈을 쓰는 데 도움을 줌.
- **선물**(선물 선 膳, 만물 물 物) 고마움을 표현하거나 어떤 일을 축하하기 위해 다른 사람에게 물건을 줌. 또는 그 물건. 예 송이는 인형을 선물로 받았다.

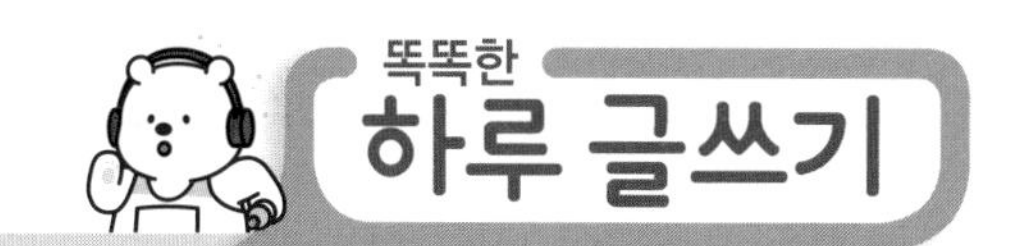

▶정답 23쪽

3월 1일 과 **3월 4일** 에 민호에게 있었던 일에 맞게 빈칸의 낱말을 각각 따라 쓰세요.

❶ 용 돈 을 받았다.

❷ 송이의 생 일 선 물 을 샀다.

1의 문장을 이용해 민호가 쓴 용돈 기입장을 완성하세요.

날짜	내용	들어온 돈	나간 돈	남은 돈
3월 1일	❶ □□□ 받음.	5,000		5,000
3월 4일	❷ □□□□□ □□□ 삼.		2,000	3,000
…	…	…	…	…
합계				

3 주

3주  누구나 100점 테스트

1 아빠의 말씀을 읽고, 메모할 때 꼭 써야 할 낱말에 모두 색칠하세요.

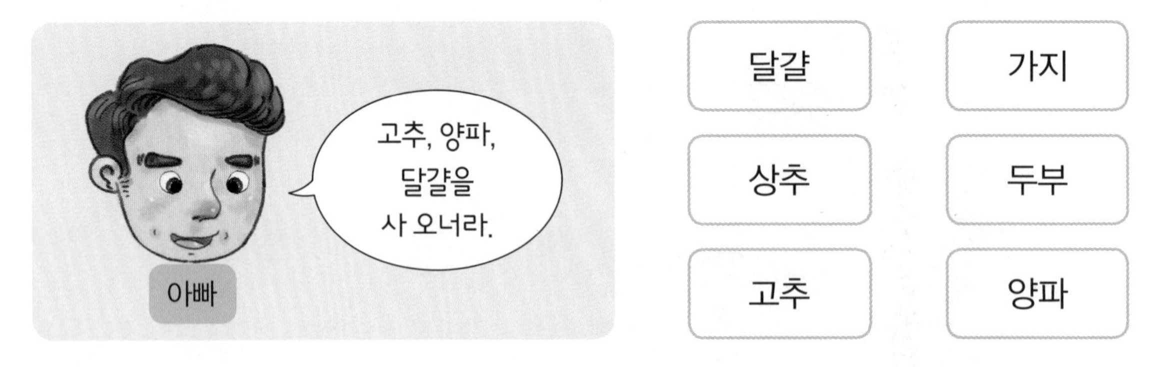

달걀	가지
상추	두부
고추	양파

2 다음 그림을 보고, 빈칸에 알맞은 낱말을 넣어 알림장에 쓸 메모를 완성하세요.

여러분! 내일은 줄넘기를 꼭 가져오세요.
집에서는 손발을 깨끗이 씻어 감기
조심하는 것도 잊지 말아요.

(1) ☐☐☐ 가져오기

(2) 손발을 깨끗이 씻어
☐☐ 조심하기

3 곰돌이가 오늘 해야 할 일을 떠올리며 메모를 하려고 해요. 다음 중 알맞은 낱말에 각각 ○표를 하세요.

(1) (화분 , 강아지)에 물 주기

(2) 『토끼와 거북이』(쓰기 , 읽기)

(3) (나비 , 물고기) 잡기

점수

▶ 정답 24쪽

글쓰기

4 정음이가 『금도끼 은도끼』를 읽고 독서 메모를 쓰려고 해요. 보기의 낱말을 모두 이용하여 문장을 알맞게 쓰세요.

정직한 마음으로 살아야겠구나.
금도끼 은도끼
보기
하지
않고
정직하게
거짓말을
살아야겠다
V
V
V
V

5 다음 문장은 용돈 기입장에서 어느 부분에 써야 하는지 찾아 선으로 이으세요.

① 날짜 ② 내용 ③ 들어온 돈 ④ 나간 돈 ⑤ 남은 돈

3주 특강

식사 시간에 만날 수 있는 흉내 내는 말을 살펴보고, 따라 써 봐요. 흉내 내는 말에 알맞은 붙임딱지도 함께 붙여 보세요. 붙임딱지 5

▶정답 24쪽

식사 시간에 만날 수 있는 흉내 내는 말의 뜻을 알아봐요!

알맞은 모습의
붙임딱지를 붙여 보아요.

꼬르륵

배가 고프거나 소화가 잘되지 않아
배 속이 끓는 소리.

알맞은 모습의
붙임딱지를 붙여 보아요.

보글보글

적은 양의 액체가 요란하게 계속
끓는 소리. 또는 그 모양.

알맞은 모습의
붙임딱지를 붙여 보아요.

송송

연한 물건을 조금 잘게
빨리 써는 모양.

알맞은 모습의
붙임딱지를 붙여 보아요.

냠냠

어린아이 등이 음식을 맛있게
먹는 소리. 또는 그 모양.

다음 장바구니를 보고, 종이에는 어떤 메모가 적혀 있을지 빈칸에 알맞은 숫자를 각각 쓰세요.

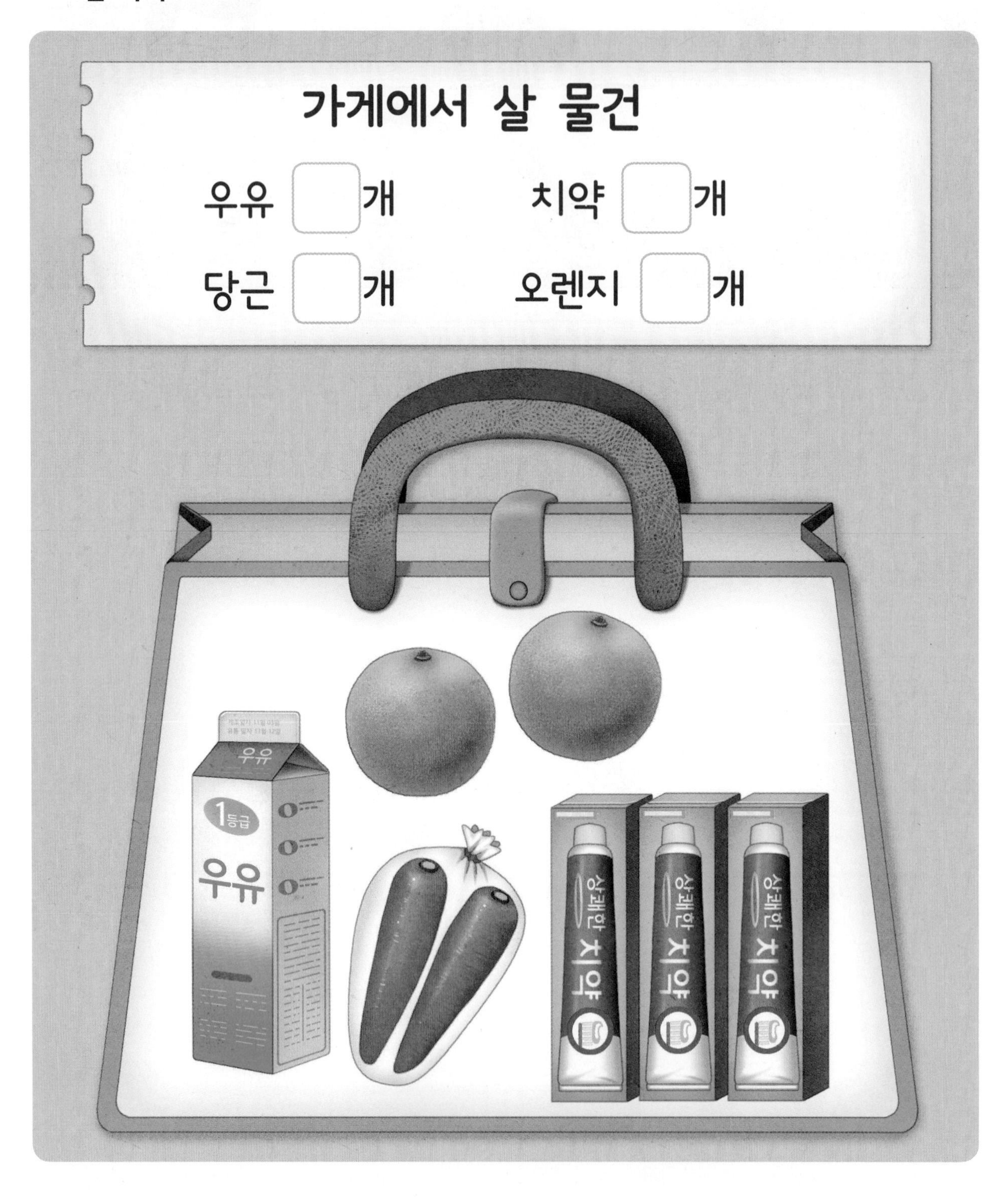

융합 국어+수학 장바구니에 담긴 **물건의 개수**를 각각 세어 봅니다.

▶정답 25쪽

도현이가 쓴 알림장의 빈칸에 알맞은 말을 쓰고, 가방에 넣을 물건을 세 가지 골라 ○표를 하세요.

내일은 얼마 전에 다녀왔던 갯벌을 떠올리며 그림을 그려 볼 거예요.
그림 그리기에 필요한 도구들을 꼭 가져오세요.

창의 선생님의 말씀에서 **중요한 내용**을 찾아 쓰고, 이와 **관련된 도구**를 찾아봅니다.

민지가 메모한 일을 차례대로 모두 하려면 어떻게 이동해야 하는지 알맞은 화살표에 각각 ○표를 하세요.

〈오늘 해야 할 일〉 책상 정리하기, 만화 영화 보기

민지는 (⬇ , ➡) 방향으로 한 칸, (⬇ , ➡) 방향으로 두 칸 이동해야 해요.

코딩 민지가 두 가지의 일을 모두 하려면 **어느 방향으로 움직여야 할지** 생각해 봅니다.

▶정답 25쪽

『금도끼 은도끼』의 뒷부분을 읽고, 독서 메모를 쓰려고 해요. 빈칸에 그림이 나타내는 글자를 알맞게 써넣으세요.

그림							
나타내는 글자	오	짓	서	말	호	거	랑

지나친 욕심을 부리지 말고,  도 하지 말아야겠다.

창의 이야기에 대한 **생각이나 느낌**을 떠올리며 그림이 나타내는 글자를 찾아 써 봅니다.

마무리 학습

공부한 내용을 정리해요

여기 온 김에,
해야 할 일을
메모해 왔어.

무슨 메모를
썼어?
달콤한 과자 사기,
맛있는 빵 사기,
아라 어머니께 받은
마법 쪽지 전하기.

할 일이 많네.
그런데 마법
쪽지는 뭐야?

앗! 설마.

아라야, 너무
놀기만 하는 것은 아니니?
단것도 너무 많이 먹지는 말고! 밝게
자라는 것은 엄마도 참 보기 좋다만,
아라 너는 덜렁대는 편이니,
항상 조심, 또 조심해야 한다.
아아, 알았어요.
엄마.
쪽지가 말을
하다니…….
신기하다!

마무리 학습

마무리 학습

신경향 · 신유형 · 서술형 1

1 다음 만화를 읽고, 축하하는 쪽지의 내용을 써넣어 만화를 완성해 보세요.

언니, ______________________

____

____

중학생이 된 언니의 모습도 기대할게!

▶정답 26쪽

2 도윤이가 초대를 받아 친구의 집을 찾아가고 있어요. 각 상황에서 쪽지에 쓸 알맞은 말을 따라가 친구의 집까지 가는 길을 선으로 이어 보세요.

마무리 학습

신경향 · 신유형 · 서술형 ②

3 나의 모습을 그려 보고, 빈칸에 나의 나이와 이름, 내가 좋아하는 것을 써넣어 자신을 소개하는 글을 완성하세요.

나는 (　　　) 살 (　　　) 이다.

나는 (　　　　　　　　) 을/를 좋아한다.

▶정답 26쪽

4 다음 그림에서 친구들이 썼을 메모로 알맞은 것에 각각 색칠하세요.

마무리 학습

기초 종합 정리 문제 1

글쓰기

1 다음 그림을 보고, 빈칸에 알맞은 낱말을 보기에서 각각 골라 고마운 마음을 전하는 쪽지를 완성하고 따라 쓰세요.

보기

책	공
고맙습니다	초대합니다

	재	미	있	는	V		을	V	읽
어	V	주	셔	서	V				
	.								

2 지우가 쓴 쪽지에서 ㉠ 안에 들어갈 알맞은 낱말을 골라 따라 쓰세요.

그림을 망쳐서 정말 ㉠.

– 지우 –

미안해

축하해

맞은 개수

▶ 정답 27쪽

3 다음 그림을 보고, 지율이에게 줄 쪽지의 내용을 알맞게 쓴 친구의 이름을 쓰세요.

지아: 생일 축하해!

시안: 생일 부탁해.

( )

4 다음 상황에 알맞은 문장을 각각 선으로 잇고, 낱말을 따라 쓰세요.

(1)  • • ① 내 이 름 은 이수아이고, 춤추는 것을 좋아한다.

(2)  • • ② 이 그 림 은 바닷속 풍경을 그린 그림이다.

5 주희가 자신의 가족을 소개하는 글을 쓰려고 해요. 빈칸에 알맞은 낱말을 각각 쓰세요.

우리 가족은 할아버지, □□ □, □□, 엄마, 오빠, 나 모두 여섯 명이다.

마무리 학습

6 친구를 소개하는 글을 알맞게 쓴 것에 ○표를 하세요.

(1) 내 친구의 이름은 민다솔이고, 줄넘기 하는 것을 좋아한다. ( )

(2) 내 친구의 이름은 민다솔이고, 노란색의 긴 머리를 가졌다. ( )

글쓰기

7 빈칸에 알맞은 낱말을 보기에서 골라 다음 장난감을 소개하는 글을 완성하고 따라 쓰세요.

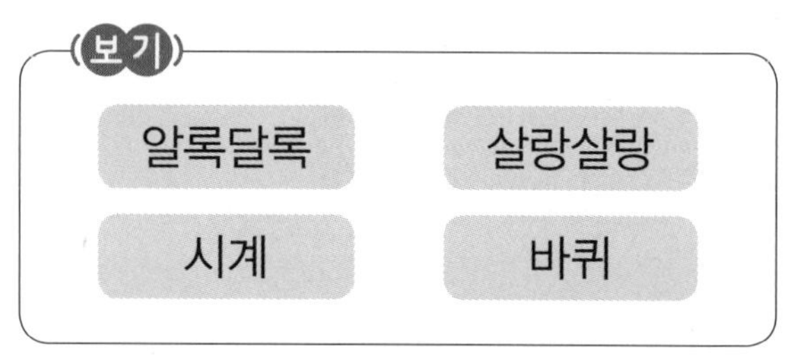

	기	차	V	장	난	감	은	V	색
깔	이	V					하	다	.
		를	V	굴	리	면	V	칙	칙
폭	폭	V	소	리	가	V	난	다	.

8 아기 다람쥐가 다음과 같은 심부름을 하기 전에 썼을 메모가 아닌 것에 ×표를 하세요.

(1) 도토리 따 오기 (　　　)

(2) 토끼에게 쪽지 주기 (　　　)

(3) 토끼에게 바나나 주기 (　　　)

9 선생님께서 말씀하신 내용을 읽고, 알림장에 꼭 써야 할 낱말을 모두 골라 따라 쓰세요.

내일 갯벌 체험을 하니까 모자, 장갑, 장화를 잘 준비해 오도록 해요!
선생님
모자
장갑
우산
장화

10 다음 그림을 보고, 소희가 쓴 독서 메모의 빈칸에 알맞은 낱말을 쓰세요.

마무리 학습

기초 종합 정리 문제 2

1 윤수가 미안한 마음을 전하는 쪽지를 쓰려고 해요. 다음 중 알맞은 낱말을 골라 따라 쓰세요.

재현아, 너의 신발을 잘못 신고 왔어. 너에게 정말 (고마워, 미안해).

글쓰기

2 보기 의 낱말을 알맞은 차례로 써넣어 부탁하는 쪽지를 완성하세요.

보기

사 곰 인형을 주세요

아빠, 곰 인형을 갖고 싶어요.

▶정답 28쪽

3 다음 그림을 보고, 송이가 쓸 쪽지로 알맞은 것에 ○표를 하세요.

이제 재롱 잔치에
부모님을 초대해
볼까요?
네!
송이

(초대하는 쪽지 , 축하하는 쪽지)

4 다음에서 소개하는 친구는 누구인지 그림에서 찾아 ○표를 하세요.

내 친구의 이름은 하준우이다. 준우는 요리하는 것을 가장 좋아한다.

5 다음 그림에 알맞은 낱말을 골라 따라 쓰세요.

내 요술봉 장난감은 흔들면 [노래 / 젤리] 가 나온다.

기초 종합 정리 문제 ❷

6 상현이가 그린 그림을 보고, 빈칸에 알맞은 낱말을 보기에서 골라 그림을 소개하는 글을 완성하세요.

상현

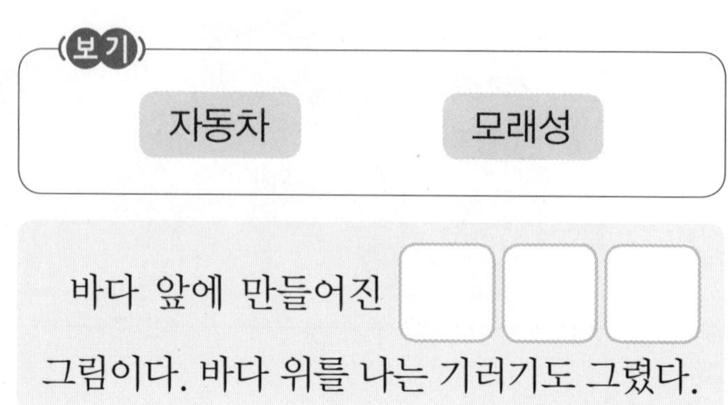
보기
자동차
모래성
바다 앞에 만들어진 □□□ 그림이다. 바다 위를 나는 기러기도 그렸다.

7 아빠께서 말씀하신 내용을 읽고 쓴 메모의 빈칸에 알맞은 낱말을 쓰세요.

고추, 양파,
달걀을 사 오너라.
아빠

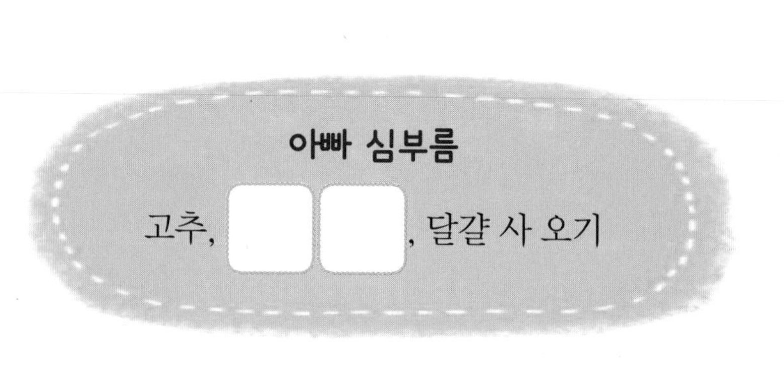
아빠 심부름
고추, □□, 달걀 사 오기

8 다음 알림장에는 어떤 내용이 쓰여 있는지 알맞은 것에 모두 ○표를 하세요.

천재 유치원 알림장

20○○년 ○월 ○○일

1. 줄넘기 꼭 가져오기
2. 손발을 깨끗이 씻어 감기 조심하기

(1) 준비물 ( )

(2) 오늘 재미있었던 일 ( )

(3) 생활에서 지켜야 할 규칙 ( )

글쓰기

9 다음 그림을 보고, 빈칸에 알맞은 말을 보기에서 모두 골라 민지가 오늘 해야 할 일을 쓴 메모를 완성하세요.

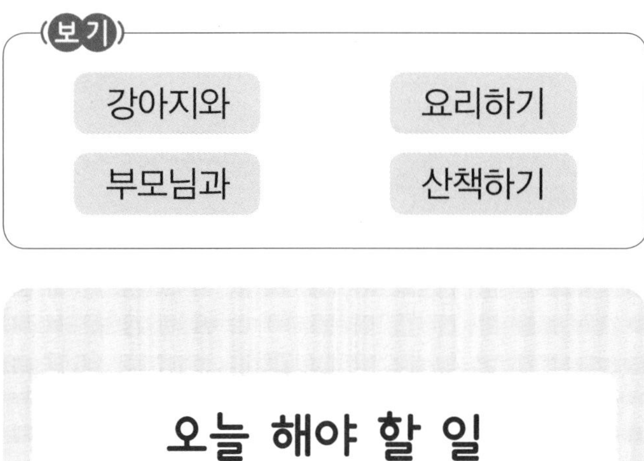

보기

강아지와	요리하기
부모님과	산책하기

오늘 해야 할 일

- 친구와 공놀이하기
- ______________________

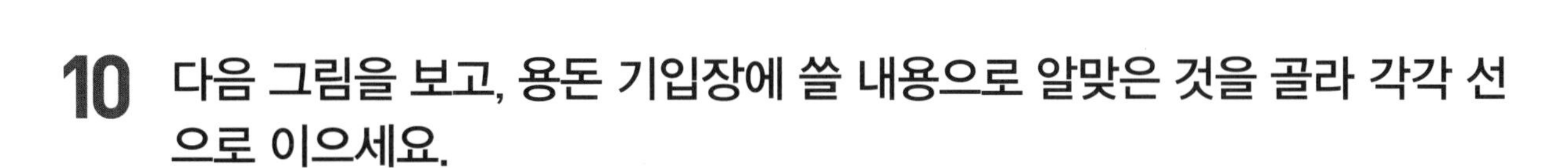

10 다음 그림을 보고, 용돈 기입장에 쓸 내용으로 알맞은 것을 골라 각각 선으로 이으세요.

(1)  •   • ① 용돈을 받음.

(2)  •   • ② 생일 선물을 삼.

마무리 학습

똑똑한 하루 글쓰기 한권 끝!

글쓰기 공부 하느라 수고했어요.
교재를 꾸준히 잘 풀었는지 돌아보고 ○표를 하세요.

약속한 사람 ______________

첫째, 하루하루 빠짐없이 꾸준히 공부했나요?	예	아니요
둘째, 하루 글쓰기 문제를 끝까지 다 풀었나요?	예	아니요
셋째, 또박또박 바르게 글씨를 썼나요?	예	아니요

아쉽고 부족한 부분을 스스로 돌아보고,
다음 단계를 공부할 때에는 더 열심히 해 봐요!

메모하기

기억에 남는 일을 일기로 남겨 봐요.

즐겁고 행복했던 일

날짜:

날씨:

제목:

슬프고 속상했던 일

날짜:

날씨:

제목:

어휘 모음 카드

카드 위쪽의 구멍을 뚫고 묶어서 사용하세요.

다음 어휘 모음 카드와 주별 어휘 카드를 이용하여 놀이를 해 보세요.

어휘 카드

놀이 방법 1

똑똑한 하루 글쓰기

1주

어휘 모음 카드 1

똑똑한 하루 글쓰기

1주

어휘 모음 카드 2

▶ 점선을 따라 접어서 붙여 쓰세요.

카드 위쪽의 구멍을 뚫고 묶어서 사용하세요.

어휘 카드 놀이 방법 ❶

둘이서 놀 때에는 이렇게 놀아요.

① 한 주의 어휘 카드 8개를 그림이 위로 오도록 바닥에 모두 깔아 놓아요.
② 한 명은 '1~3주 어휘 모음 카드'를 보고 어휘의 뜻을 하나씩 읽어 줘요.
③ 다른 한 명은 어휘의 뜻을 듣고, 뜻에 알맞은 어휘 카드를 찾아요. 기회는 딱 한 번이에요.
④ 놀이가 끝난 후에 몇 장의 어휘 카드를 정확히 찾았는지 세어 봐요.

어휘 카드 놀이 방법 ❷

여럿이서 놀 때에는 이렇게 놀아요.

① 한 주의 어휘 카드 8개를 그림이 위로 오도록 바닥에 모두 깔아 놓아요.
② 한 명은 '1~3주 어휘 모음 카드'를 보고 어휘의 뜻을 하나씩 읽어 줘요.
③ 나머지 사람들은 어휘의 뜻을 듣고, 뜻에 알맞은 어휘 카드를 재빨리 찾아서 가지고 와요.
④ 놀이가 끝난 후에 누가 어휘 카드를 더 많이 가지고 있는지 세어 봐요.

1주 어휘 모음 카드 ❶

① 어떤 내용의 글을 적은 종이쪽. — **쪽지**
② 여러 조리 과정을 거쳐 음식을 만듦. 또는 그 음식. — **요리**
③ 병이나 상처 따위를 잘 다스려 낫게 함. — **치료**
④ 어떤 일을 해 달라고 청하거나 맡김. — **부탁**

1주 어휘 모음 카드 ❷

⑤ 글의 내용이나 이야기의 중심이 되는 내용. — **줄거리**
⑥ 어떤 모임에 참가해 줄 것을 청함. — **초대**
⑦ 어린아이들이 어른들에게 노래와 연극 따위를 보여 주는 잔치. — **재롱 잔치**
⑧ 남의 좋은 일을 기뻐하고 즐거워한다는 뜻으로 인사함. 또는 그런 인사. — **축하**

어휘 모음 카드

카드 위쪽의 구멍을 뚫고 묶어서 사용하세요.

▶ 점선을 따라 접어서 뜯어 쓰세요.

카드 위쪽의 구멍을 뚫고 묶어서 사용하세요.

2주 어휘 모음 카드 ①

① 잘 알려지지 않았거나, 모르는 사실이나 내용을 잘 알도록 해 주는 설명. **소개**

② 식구 수가 많은 가족. **대가족**

③ 가깝게 오래 사귄 사람. **친구**

④ 새롭고 신기한 것을 좋아하거나 모르는 것을 알고 싶어 하는 마음. **호기심**

2주 어휘 모음 카드 ②

⑤ 우주 공간을 날아다닐 수 있도록 만든 물체. **우주선**

⑥ 골짜기나 들판에 흐르는 작은 물줄기의 물. **시냇물**

⑦ 아주 오래 전에 땅 위에서 살다가 지금은 없어진, 몸이 아주 큰 동물. **공룡**

⑧ 동물의 머리에 난 단단하고 뾰족한 것. **뿔**

3주 어휘 모음 카드 ①

① 잊지 않거나 다른 사람에게 전하기 위해 어떤 내용을 간단하게 적은 글. **메모**

② 남이 시키는 일을 하여 주는 일. **심부름**

③ 바닷물이 빠졌을 때에 드러나는 넓은 진흙 벌판. **갯벌**

④ 보통 기침, 콧물, 두통 등의 증상이 있는, 전염성이 있는 병. **감기**

3주 어휘 모음 카드 ②

⑤ 꽃을 심어 가꾸는 그릇. **화분**

⑥ 책을 읽음. **독서**

⑦ 무엇을 지나치게 탐내거나 가지고 싶어 하는 마음. **욕심**

⑧ 고마움을 표현하거나 어떤 일을 축하하기 위해 다른 사람에게 물건을 줌. 또는 그 물건. **선물**

1주 어휘 카드

카드 위쪽의 구멍을 뚫고 묶어서 사용하세요.

쪽지

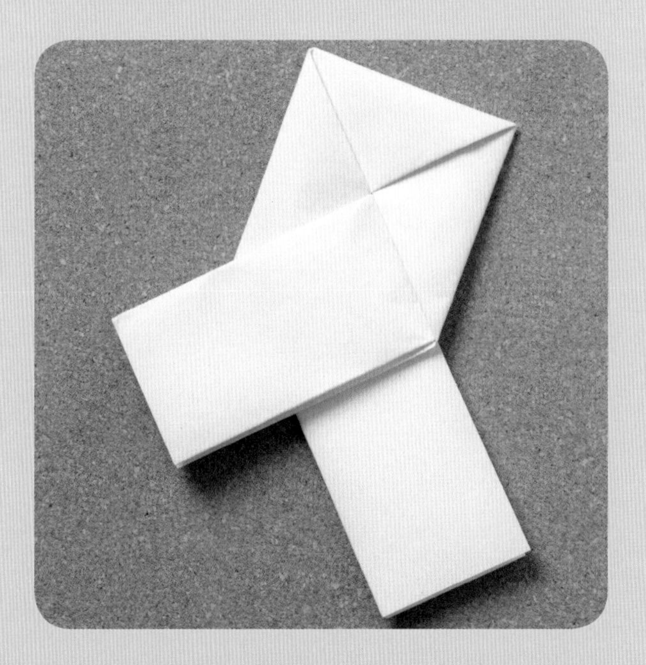

요리

치료

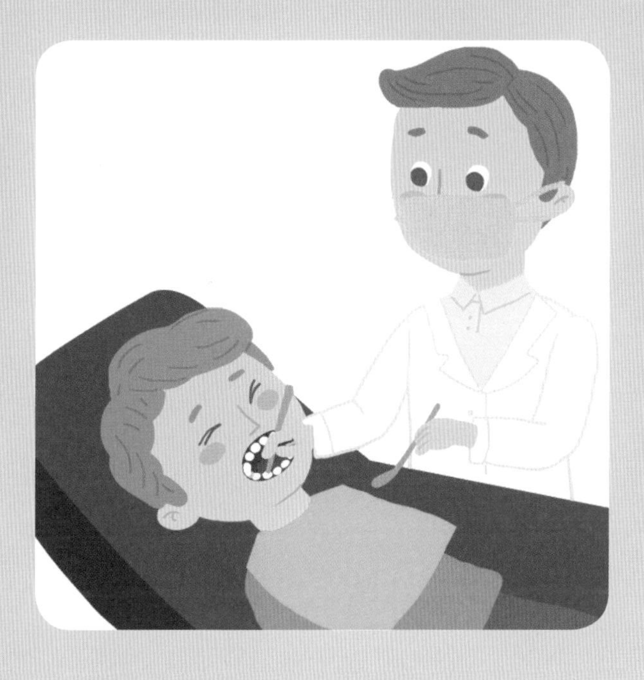

부탁

▶ 점선을 따라 접어서 뜯어 쓰세요.

요리

여러 조리 과정을 거쳐 음식을 만듦. 또는 그 음식.

예 자주 가는 식당의 **요리**는 정말 맛있다.

쪽지

어떤 내용의 글을 적은 종이쪽.

예 선생님께 감사한 마음을 담은 **쪽지**를 썼다.

부탁

어떤 일을 해 달라고 청하거나 맡김.

예 무거운 짐을 들고 있어서 문을 열어 달라고 **부탁**했다.

치료

병이나 상처 따위를 잘 다스려 낫게 함.

예 치과에 가서 썩은 이를 **치료**했다.

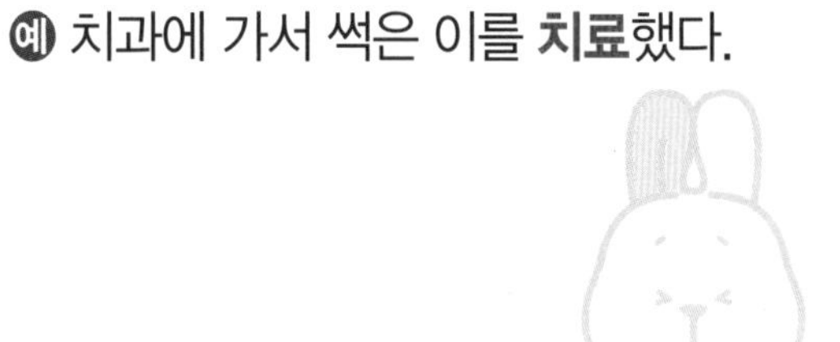

카드 위쪽의 구멍을 뚫고 묶어서 사용하세요.

줄거리

초대

재롱 잔치

축하

▶ 점선을 따라 잘라서 들어 쓰세요.

초대

어떤 모임에 참가해 줄 것을 청함.

예 나은이에게 우리 집에 놀러 오라고 **초대**하는 쪽지를 주었다.

줄거리

글의 내용이나 이야기의 중심이 되는 내용.

예 어제 읽은 옛날이야기의 **줄거리**를 친구에게 말해 주었다.

축하

남의 좋은 일을 기뻐하고 즐거워한다는 뜻으로 인사함. 또는 그런 인사.

예 친구의 생일을 **축하**하기 위해 선물을 주었다.

재롱 잔치

어린아이들이 어른들에게 노래와 연극 따위를 보여 주는 잔치.

예 사촌 동생의 **재롱 잔치** 공연을 보고 어른들이 모두 함박웃음을 지었다.

카드 위쪽의 구멍을 뚫고 묶어서 사용하세요.

소개

대가족

친구

호기심

▶ 점선을 따라 접어서 뜯어 쓰세요.

대가족

식구 수가 많은 가족.
예 우리는 열 식구가 모여 사는 **대가족**이다.

소개

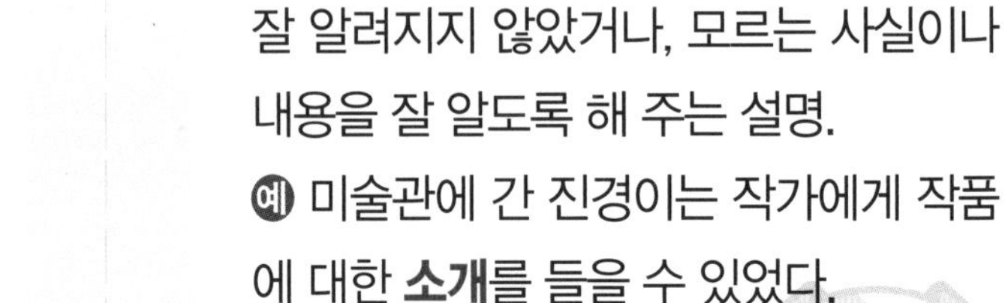

잘 알려지지 않았거나, 모르는 사실이나 내용을 잘 알도록 해 주는 설명.
예 미술관에 간 진경이는 작가에게 작품에 대한 **소개**를 들을 수 있었다.

호기심

새롭고 신기한 것을 좋아하거나 모르는 것을 알고 싶어 하는 마음.
예 우식이는 **호기심**이 강해서 궁금한 것이 있을 때마다 질문을 한다.

친구

가깝게 오래 사귄 사람.
예 항상 같은 시간, 같은 공원에서 함께 노는 **친구**가 있다.

2주 어휘 카드

카드 위쪽의 구멍을 뚫고 묶어서 사용하세요.

우주선

시냇물

공룡

뿔

▶ 점선을 따라 접어서 뜯어 쓰세요.

시냇물

골짜기나 들판에 흐르는 작은 물줄기의 물.

예 **시냇물**이 졸졸 흘러가는 소리가 기분 좋게 들려온다.

우주선

우주 공간을 날아다닐 수 있도록 만든 물체.

예 새로 만든 **우주선**은 성공적으로 우주를 향해 날아갔다.

뿔

동물의 머리에 난 단단하고 뾰족한 것.

예 사슴의 나이는 **뿔**이 몇 번이나 갈라졌는지로 알 수 있다.

공룡

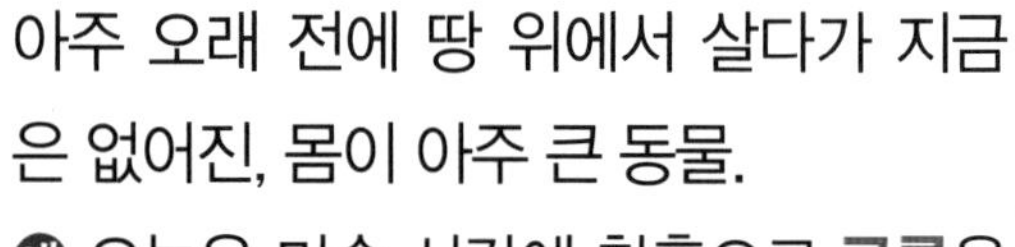

아주 오래 전에 땅 위에서 살다가 지금은 없어진, 몸이 아주 큰 동물.

예 오늘은 미술 시간에 찰흙으로 **공룡**을 만들었다.

카드 위쪽의 구멍을 뚫고 묶어서 사용하세요.

메모

심부름

갯벌

감기

▶ 점선을 따라 접어서 뜯어 쓰세요.

심부름

남이 시키는 일을 하여 주는 일.
예 엄마께서 아이에게 당근, 오이를 사 오라는 **심부름**을 시키셨다.

메모

잊지 않거나 다른 사람에게 전하기 위해 어떤 내용을 간단하게 적은 글.
예 오늘 해야 할 일을 잊어버리지 않으려고 **메모**를 했다.

감기

보통 기침, 콧물, 두통 등의 증상이 있는, 전염성이 있는 병.
예 **감기**에 걸려서 열이 났다.

갯벌

바닷물이 빠졌을 때에 드러나는 넓은 진흙 벌판.
예 **갯벌**에는 조개, 낙지 같은 생물들이 많이 살고 있다.

3주 어휘 카드

카드 위쪽의 구멍을 뚫고 묶어서 사용하세요.

화분

독서

욕심

선물

▶ 점선을 따라 접어서 뜯어 쓰세요.

독서

책을 읽음.

예 소라는 **독서**를 많이 해서 아는 것이 많다.

화분

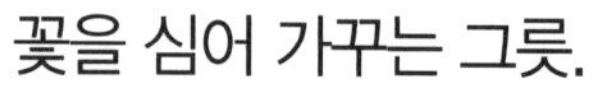
꽃을 심어 가꾸는 그릇.

예 **화분**에 심은 꽃이 활짝 피었다.

선물

고마움을 표현하거나 어떤 일을 축하하기 위해 다른 사람에게 물건을 줌. 또는 그 물건.

예 크리스마스에 산타의 **선물**을 많이 받고 싶다.

욕심

무엇을 지나치게 탐내거나 가지고 싶어 하는 마음.

예 놀부는 재물을 얻을 **욕심**에 제비의 다리를 일부러 부러뜨렸다.

붙임딱지 1

본문 12쪽

본문 17쪽

본문 28쪽

본문 35쪽

▶ 점선을 따라 접어서 뜯어 쓰세요.

본문 45쪽

본문 48쪽

본문 56쪽

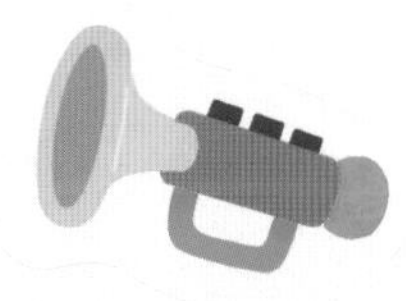

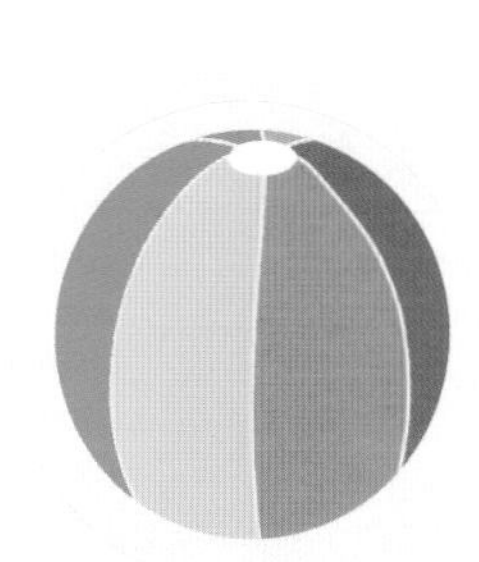

▶ 점선을 따라 접어서 뜯어 쓰세요.

붙임딱지 3

본문 61쪽

본문 67쪽

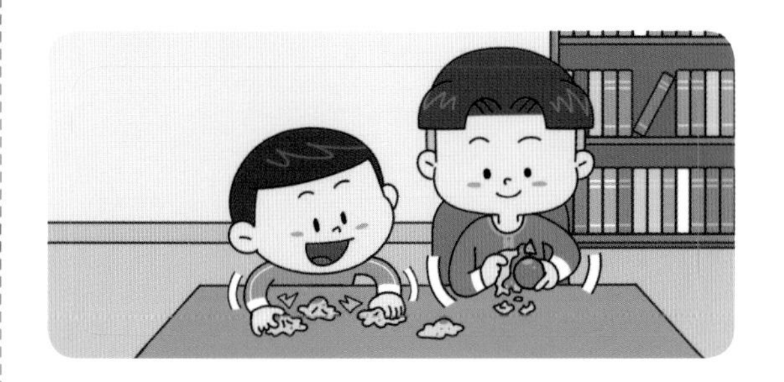

본문 80쪽

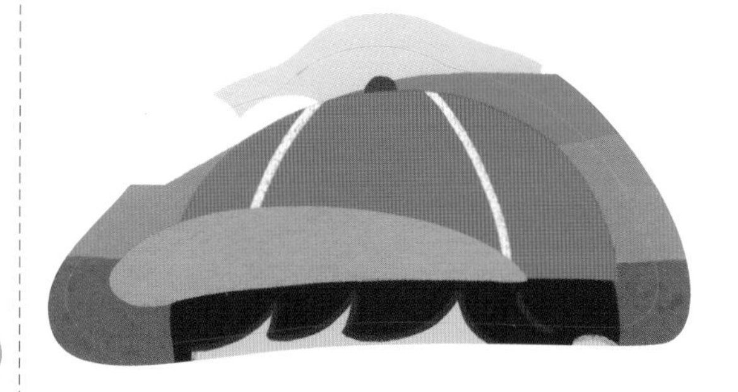

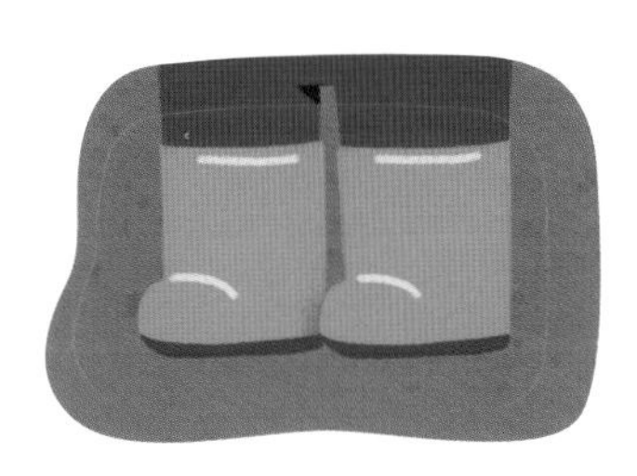

▶ 점선을 따라 접어서 뜯어 쓰세요.

붙임딱지 4

본문 88쪽

본문 89쪽

본문 92쪽

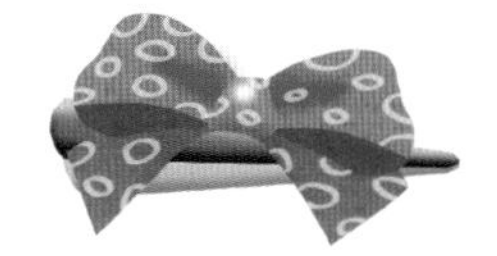

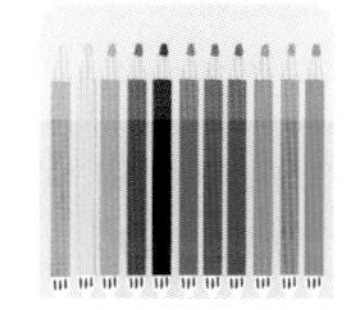

붙임딱지 5

본문 99쪽

등장인물들의 붙임딱지를 자유롭게 붙여 보세요.

▶ 점선을 따라 접어서 뜯어 쓰세요.

스케줄표

붙임딱지 

☆ 하루 학습이 끝나면 스케줄표에 붙여 보세요!

1주	 좋아요 1일	 잘했어 2일	 멋있어 3일	 훌륭해 4일	 놀라워 5일	 뿌듯해 특강
2주	 좋아요 1일	 잘했어 2일	 멋있어 3일	 훌륭해 4일	 놀라워 5일	 뿌듯해 특강
3주	 좋아요 1일	 잘했어 2일	 멋있어 3일	 훌륭해 4일	 놀라워 5일	 뿌듯해 특강
마무리 학습	 좋아요	 잘했어	 멋있어	 훌륭해	 놀라워	 뿌듯해

☆ 필요한 곳에 붙여 보세요!

 좋아요	 잘했어	 멋있어	 훌륭해	 놀라워	 뿌듯해
 좋아요	 잘했어	 멋있어	 훌륭해	 놀라워	 뿌듯해

▶ 점선을 따라 접어서 뜯어 쓰세요.

기초 학습능력 강화 프로그램

매일매일 쌓이는 국어 기초력

똑똑한 하루

독해&어휘&글쓰기

공부 습관 형성

10분이면 하루치 공부를 마칠 수 있어서 아이들 스스로 쉽게 학습할 수 있도록 구성

국어 기초력 향상

어휘는 물론 독해에서 글쓰기까지 초등 국어 전 영역을 책임지는 완벽한 커리큘럼으로 국어 기초력 향상

재미있는 놀이 학습

꼭 필요한 상식과 함께 창의적 사고력 확장을 돕는 게임 형식의 구성으로 즐겁게 학습

쉽다! 재미있다! 똑똑하다! 똑똑한 하루 시리즈

예비초~6학년 교재별 각 A·B (14권)

기초
학습능력 강화
프로그램

똑 똑 한
하루 글쓰기

천재교육

똑 똑 한

하루 글쓰기

정답

정답

1주 무엇을 공부할까? ❶

8~9쪽

1주 1주에는 무엇을 공부할까? ❶

1주 무엇을 공부할까? ❷

10~11쪽

◉ 이번 주에 배울 내용을 생각하며, 빈칸의 말을 따라 쓰세요.

1주 1일

12~13쪽

부모님께 고마운 일들을 떠올리며, 그림에 알맞은 붙임딱지를 붙여 보세요. 붙임딱지 ①

우아, 맛있는 냄새가 나요.
책 내용이 정말 재미있어요.

인물들이 들고 있는 글자를 사다리 타기를 하여 도착한 곳에 써 보세요.

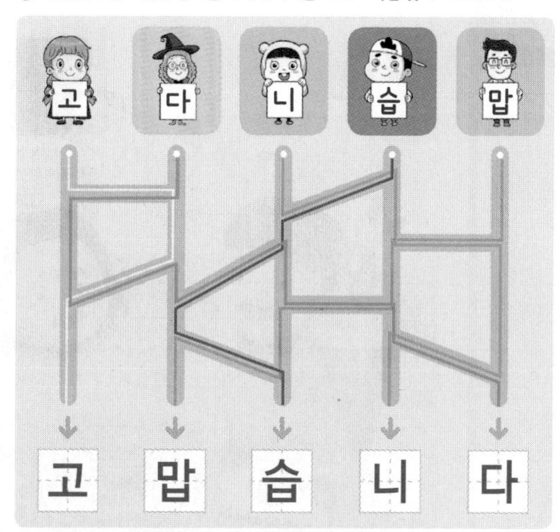

고
다
니
습
맙
고 맙 습 니 다

위에서 쓴 글자를 차례대로 빈칸에 넣어 고마운 마음을 전하는 쪽지를 완성하고 따라 써 보세요.

	맛	있	는	∨	요	리	를	∨	해	∨
주	셔	서	∨	고	맙	습	니	다	.	

1주 1일

14~15쪽

다음 이야기를 읽고, 고마운 마음을 전하는 쪽지를 쓰세요.

흥부 놀부

갑자기 나타난 구렁이 때문에 제비 한 마리가 바닥으로 떨어졌어요.
쉬익
털썩

흥부는 제비의 부러진 다리를 정성껏 치료해 주었지요.
흥부 님께 다리를 치료해 주어서 고마운 마음을 전해야지.

어휘 풀이

- **구렁이** 머리가 크고 몸통은 길고 굵은 뱀.
- **제비** 등은 검고 배는 희며 매우 빠르게 날고, 봄에 한국에 날아왔다가 가을에 남쪽으로 날아가는 작은 여름 철새.
- **치료**(다스릴 치 治, 병 고칠 료 療) 병이나 상처 따위를 잘 다스려 낫게 함. 예 보건 선생님께서 무릎에 난 상처를 치료해 주셨다.

▲ 새끼 제비들

1단계 제비가 흥부에게 전하고 싶은 말을 쓰려고 해요. 다음 그림을 보고, 빈칸의 낱말을 각각 따라 쓰세요.

흥부 님께 다리를 치료해 주어서 고마운 마음을 전해야지.

❶ 제 다 리 를 고쳐 주셔서 살 수 있었어요.

❷ 정말 고 마 워 요 !

2단계 1의 문장을 넣어 고마운 마음을 전하는 제비의 쪽지를 완성하고 따라 쓰세요.

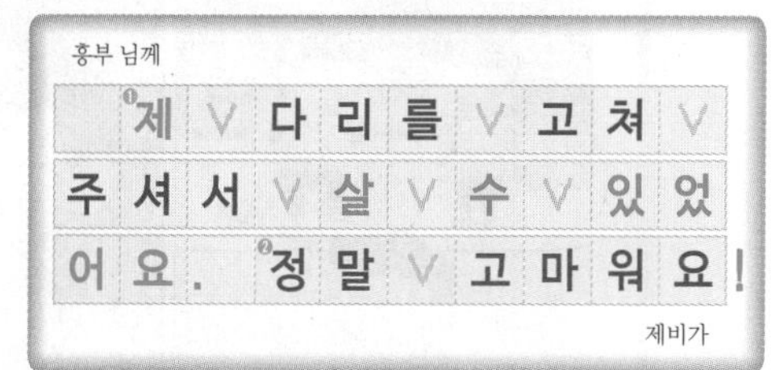

흥부 님께

❶	제	∨	다	리	를	∨	고	쳐	∨
주	셔	서	∨	살	∨	수	∨	있	었
어	요	.	❷정	말	∨	고	마	워	요 !

제비가

정답

1주 2일

16~17쪽

지우와 효정이에게 일어난 일을 살펴보며, 두 친구의 표정을 각각 알맞게 그려 넣어 보세요.

그림에 맞는 퍼즐 모양을 찾아 붙임딱지를 붙여 보세요. 붙임딱지 1

퍼즐에 적힌 낱말을 각각 알맞은 빈칸에 넣어 미안한 마음을 전하는 쪽지를 완성하고 따라 써 보세요.

	효	정	아	,		네	∨	그	림	에	∨
물	을	∨	쏟	아	서	∨	미	안	해	.	

1주 2일

18~19쪽

다음 만화를 읽고, 미안한 마음을 전하는 쪽지를 쓰세요.

1단계 윤수에게 있었던 일과 그때 느꼈던 마음을 쓰려고 해요. 빈칸에 알맞은 낱말을 각각 쓰세요.

❶ 재현이의 **신 발** 을 실수로 잘못 신고 왔다.

❷ 재현이에게 정말 **미 안** 하다.

2단계 1의 문장을 이용해 미안한 마음을 전하는 윤수의 쪽지를 완성하고 따라 쓰세요.

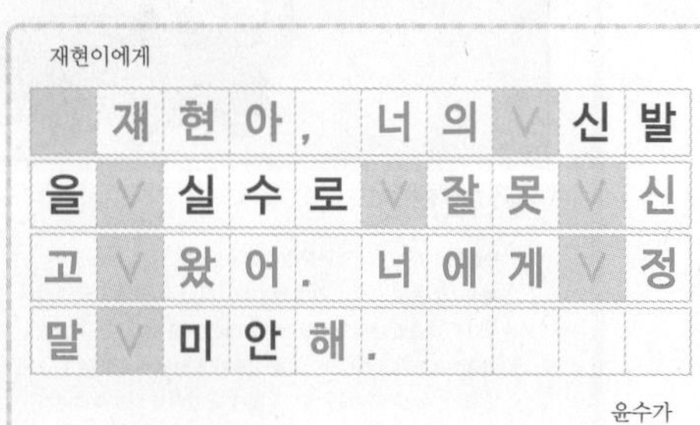

재현이에게

	재	현	아	,		너	의	∨	신	발
을	∨	실	수	로	∨	잘	못	∨	신	
고	∨	왔	어	.		너	에	게	∨	정
말	∨	미	안	해	.					

윤수가

20~21쪽

1주 3일

◎ 민찬이가 장난감을 사러 장난감 가게에 갔어요. 민찬이가 갖고 싶은 장난감을 모두 찾아 ○표를 해 보세요.

◎ 도착까지 가는 길에 찾은 글자를 차례대로 넣어 부탁하는 쪽지를 완성하고 따라 써 보세요.

	아	빠	,	곰	V	인	형	을	V
사	V	주	세	요	.				

22~23쪽

1주 3일

◎ 다음 그림을 보고, 친구에게 부탁하는 쪽지를 쓰세요.

어휘 풀이

* **줄거리** 글의 내용이나 이야기의 중심이 되는 내용.
  예 오빠가 자신이 보고 온 영화의 줄거리를 말해 주었다.

1단계 민우가 나리에게 부탁하는 쪽지를 쓰려고 해요. 빈칸에 알맞은 낱말을 보기에서 각각 골라 쓰세요.

보기: 좋겠어 | 미안해 | 궁금해 | 초대해

❶ 네가 읽은 책 내용이 궁금해.

❷ 책을 빌려주면 좋겠어.

2단계 1의 문장을 넣어 부탁하는 쪽지를 완성하고 따라 쓰세요.

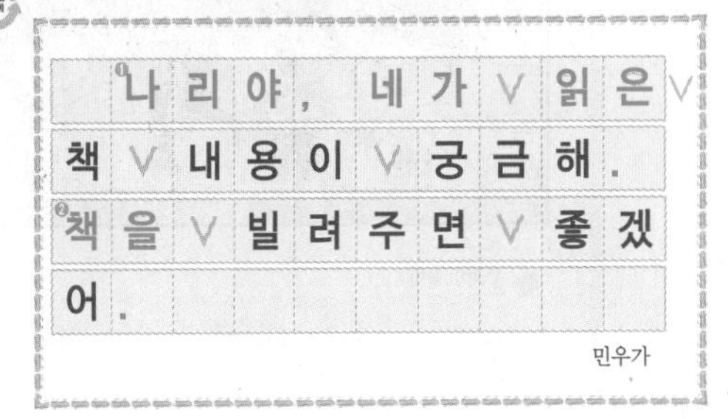

	나	리	야	,	네	가	V	읽	은
책	V	내	용	이	V	궁	금	해	.
책	을	V	빌	려	주	면	V	좋	겠
어	.								

민우가

정답

1주 4일

24~25쪽

여진이가 자신의 생일잔치에 친구들을 초대하려고 해요. 생일 초대장의 앞면을 색칠하여 그림을 완성해 보세요.

초대장을 받은 친구가 여진이에게 가는 길에 찾은 글자를 차례대로 넣어 초대장을 완성하고 따라 써 보세요.

	너	를	∨	내	∨	생	일	잔	치
에	∨	초	대	할	게	.			

1주 4일

26~27쪽

다음 만화를 읽고, 초대하는 쪽지를 쓰세요.

어휘 풀이

* 재롱(재주 재 才, 희롱할 롱 弄) 잔치 어린아이들이 어른들에게 노래와 연극 따위를 보여 주는 잔치. 예 사촌 동생의 재롱 잔치를 보러 갔다.

1단계 송이가 부모님께 초대하는 쪽지를 쓰려고 해요. 빈칸에 알맞은 말을 보기에서 각각 골라 쓰세요.

보기: 춤 / 노래 / 재롱 잔치 / 체육 대회

❶ 저희가 춤 과 노래 를 준비했어요.

❷ 재롱 잔치 에 꼭 오세요!

2단계 1의 문장을 넣어 부모님을 재롱 잔치에 초대하는 쪽지를 완성하고 따라 쓰세요.

엄마, 아빠!

	❶저	희	가	∨	춤	과	∨	노	래
를	∨	준	비	했	어	요	.	❷재	롱∨
잔	치	에	∨	꼭	∨	오	세	요	!

• 시간: 7월 21일 금요일 2시
• 장소: 천재 유치원 강당

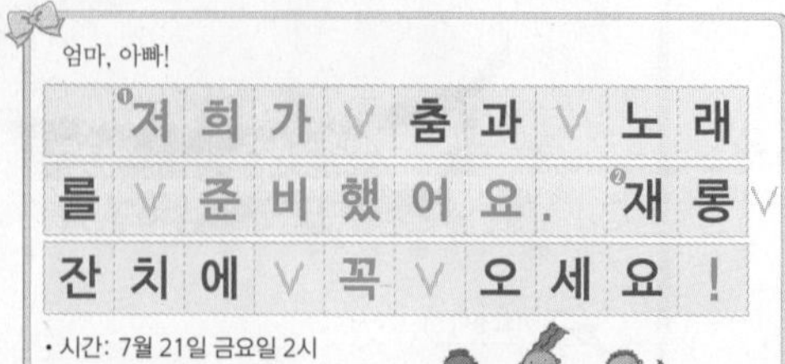

1주 5일

28~29쪽

지아가 서율이의 생일을 축하해 주는 모습을 살펴보고, 케이크 위에 서율이의 나이만큼 초 붙임딱지를 붙여 보세요. 붙임딱지 1

축하해요
서율아, 너의 일곱 살 생일을 축하해!
지아
서율

아라가 설명하는 낱말을 찾아 빈칸에 넣어 축하하는 문장을 완성하고 따라 써 보세요.

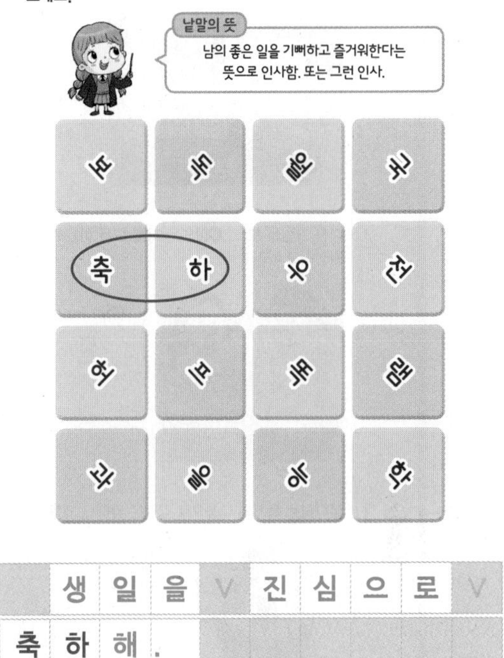

낱말의 뜻
남의 좋은 일을 기뻐하고 즐거워한다는 뜻으로 인사함. 또는 그런 인사.
축
하

	생	일	을	∨	진	심	으	로	∨
축	하	해	.						

1주 5일

30~31쪽

다음 만화를 읽고, 축하하는 쪽지를 쓰세요.

엄마! 드디어 태권도 검은 띠를 땄어요.
지예

어휘 풀이

▾ **태권도**(밟을 태 跆, 주먹 권 拳, 길 도 道) 우리나라 고유의 전통 무예를 바탕으로 한 운동. 또는 그 경기.

▾ **띠** 옷 위로 허리를 둘러매는 끈. 예 도복을 입고 띠를 둘렀다.

▲ 태권도 격파

1단계 지예가 오빠에게 축하하는 쪽지를 쓰려고 해요. 빈칸에 알맞은 낱말을 보기에서 각각 골라 쓰세요.

보기: 축하해 / 싫어해 / 연습 / 게임

❶ 태권도 검은 띠가 된 것을 축하해.

❷ 그동안 열심히 연습 한 오빠가 자랑스러워.

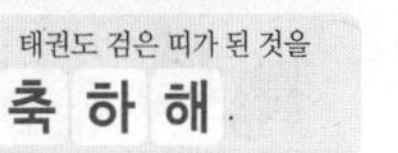

2단계 1의 문장을 넣어 지예가 쓴 축하하는 쪽지를 완성하고 따라 쓰세요.

오빠에게

	❶태	권	도	∨	검	은	∨	띠	가	∨
된	∨	것	을	∨	축	하	해	.	❷그	
동	안	∨	열	심	히	∨	연	습	한	∨
오	빠	가	∨	자	랑	스	러	워	.	

지예가

정답

1주 누구나 100점 테스트

32~33쪽

1 다음 그림을 보고, 제비가 흥부에게 전하고 싶은 말이 무엇일지 골라 따라 쓰세요.

(1) 정말 고마워요.

(2) 정말 축하해요.

2 다음 그림을 보고, 보기의 글자를 모두 이용해 지우가 쪽지에 쓴 문장을 완성하고 따라 쓰세요.

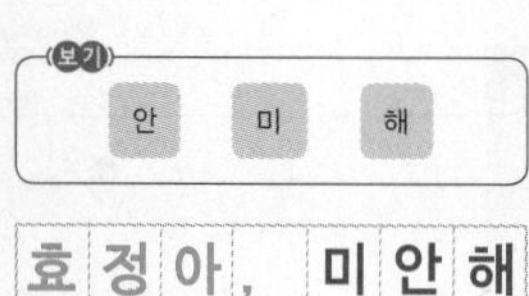

효정아, 미안해.

3 부탁하는 쪽지의 내용으로 알맞은 말에 ○표를 하세요.

민규야, 네가 읽은 책 내용이 궁금해.
그 책을 (빌려줘(○), 빌렸구나).

4 부모님을 재롱 잔치에 초대하려고 해요. 풍선에서 알맞은 낱말을 골라 ㉠ 안에 들어갈 문장을 완성하고 따라 쓰세요.

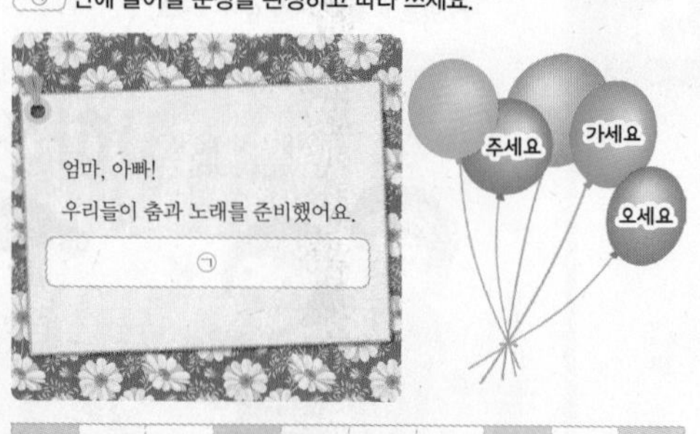

엄마, 아빠!
우리들이 춤과 노래를 준비했어요.
㉠
주세요
가세요
오세요

재롱 잔치에 꼭 오세요.

5 다음 그림을 보고, 알맞은 낱말을 골라 따라 쓰세요.

형, 열한 살 생일을
(부탁해, 축하해(○)).

1주 창의·융합·코딩

34~35쪽

바다에서 만날 수 있는 흉내 내는 말을 살펴보고, 따라 써 봐요. 흉내 내는 말에 알맞은 붙임딱지도 같이 붙여 보세요. 붙임딱지 ①

바다에서 만날 수 있는 흉내 내는 말의 뜻을 알아봐요!
솨
비바람이 치거나 물결이 밀려오는 소리.
끼룩끼룩
기러기나 갈매기 따위의 새가 우는 소리.
철썩철썩
아주 많은 양의 액체가 자꾸 단단한 물체에 마구 부딪치는 소리. 또는 그 모양.
첨벙첨벙
큰 물체가 물에 부딪치거나 잠기는 소리. 또는 그 모양.

36~37쪽

1주 창의 · 융합 · 코딩

제비가 무서운 동물들을 피해 흥부네 집에 무사히 도착하여 흥부에게 고마운 마음을 전할 수 있도록 코딩 카드에 알맞은 숫자를 각각 쓰세요.

❶ 아래쪽으로 1 칸 간다. ➡ ❷ 오른쪽으로 2 칸 간다. ➡ ❸ 아래쪽으로 1 칸 간다. ➡ ❹ 오른쪽으로 1 칸 간다. ➡ ❺ 아래쪽으로 1 칸 간다.

코딩 제비가 무사히 흥부네 집을 찾아갈 수 있도록 **코딩 카드에 알맞은 숫자**를 써 봅니다.

민찬이와 동생 민영이의 쪽지를 받은 아빠가 곰 인형을 사러 장난감 가게에 갔어요. 아빠가 집에 가져오신 인형은 몇 개일지 빈칸에 알맞은 숫자를 쓰세요.

아빠가 가져오신 인형은 (곰 인형) + (토끼 인형) = (총 인형 개수) 3 개입니다.

융합 국어+수학 **(한 자리수)+(한 자리수)의 덧셈**을 해 알맞은 숫자를 빈칸에 써 봅니다.

38~39쪽

1주 창의 · 융합 · 코딩

송이가 재롱 잔치에 다른 사람도 초대하려고 해요. 누구를 초대하려고 하는지 다음 그림이 나타내는 낱자를 합해 빈칸에 쓰세요.

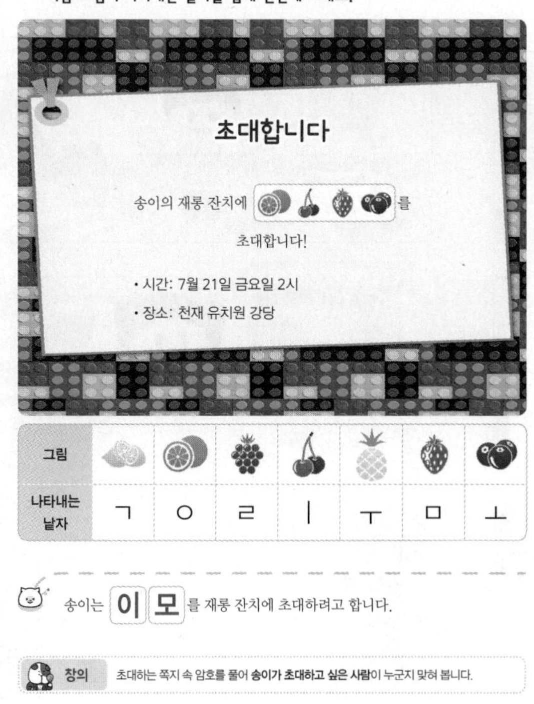

그림	(레몬)	(오렌지)	(포도)	(체리)	(파인애플)	(딸기)	(블루베리)
나타내는 낱자	ㄱ	ㅇ	ㄹ	ㅣ	ㅜ	ㅁ	ㅗ

송이는 이 모 를 재롱 잔치에 초대하려고 합니다.

창의 초대하는 쪽지 속 암호를 풀어 **송이가 초대하고 싶은 사람**이 누군지 맞혀 봅니다.

생일에는 축하하는 쪽지를 쓸 수 있어요. 우리 가족의 생일을 조사해 보고, 보기와 같이 빈칸에 각각 쓰세요.

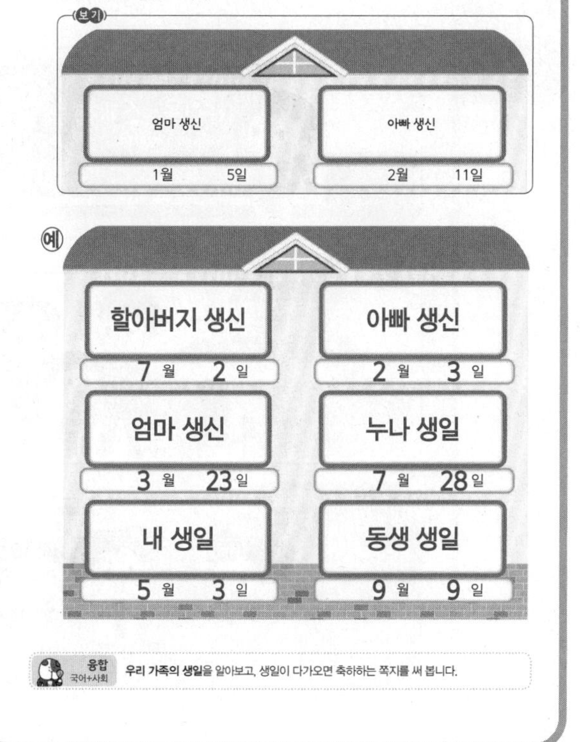

융합 국어+사회 **우리 가족의 생일**을 알아보고, 생일이 다가오면 축하하는 쪽지를 써 봅니다.

정답

40~41쪽

2주 무엇을 공부할까? 1

2주에는 무엇을 공부할까? ❶

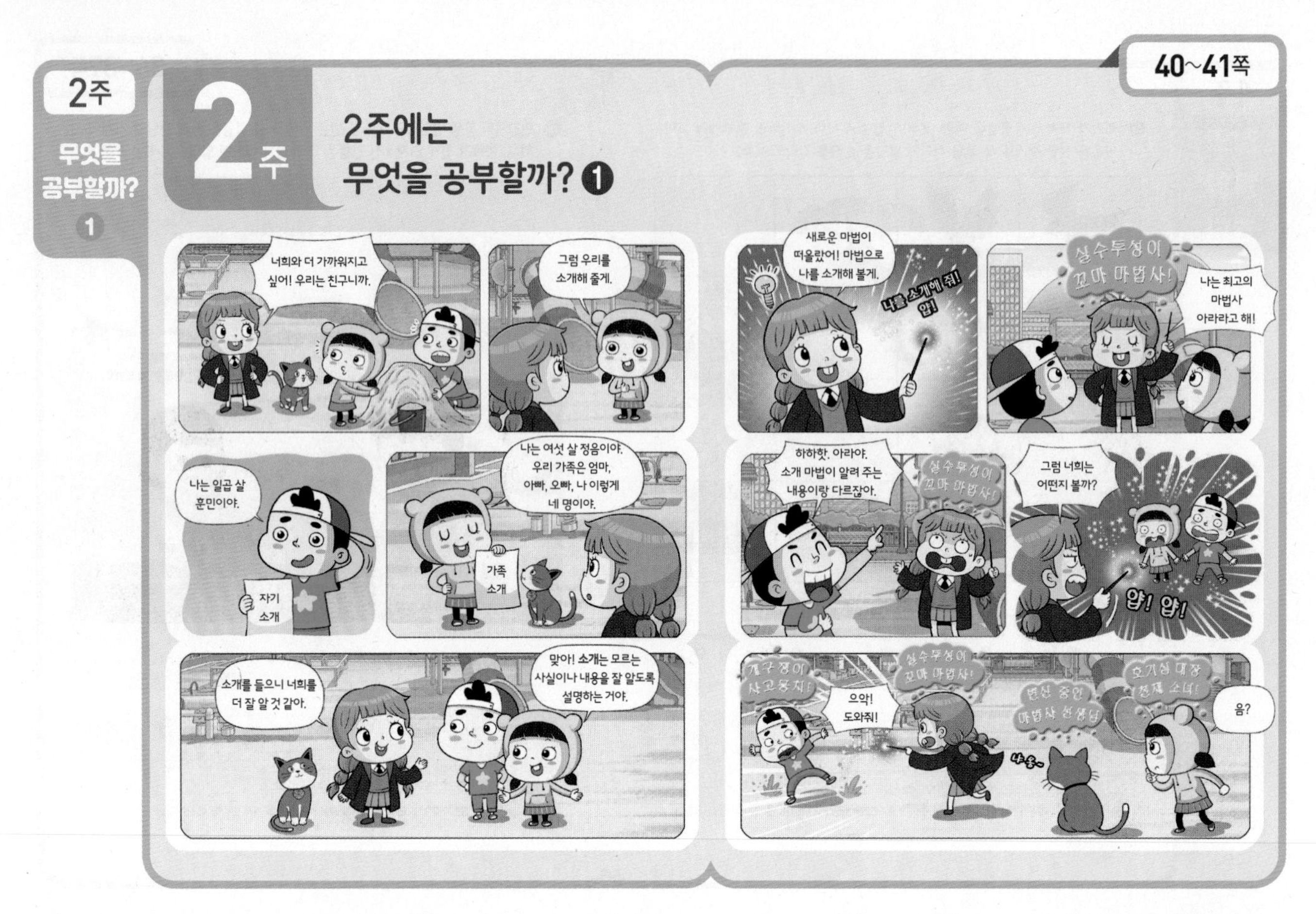

42~43쪽

2주 무엇을 공부할까? 2

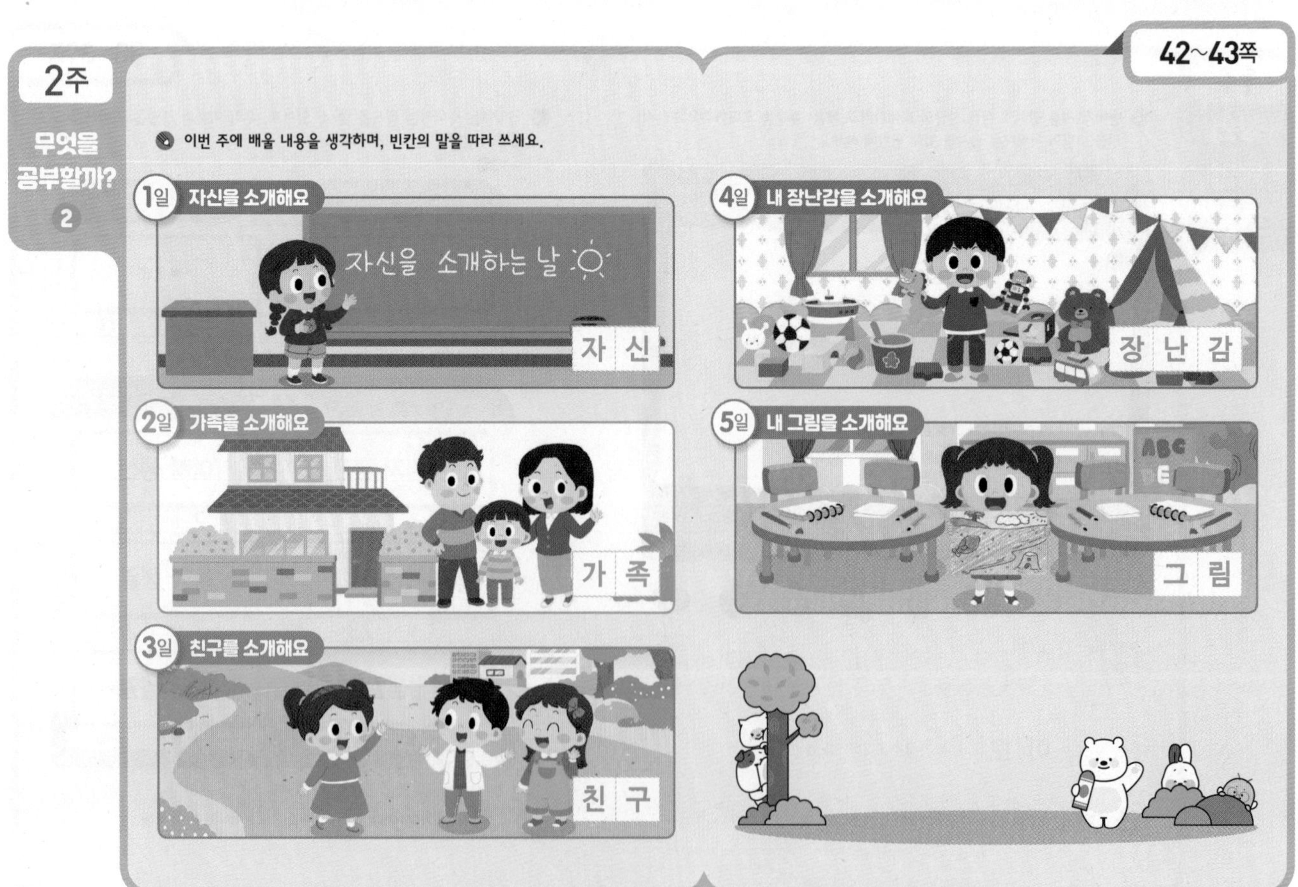

2주 1일

44~45쪽

자신을 소개하는 우주를 살펴보고, 우주를 색칠하여 그림을 완성해 보세요.

그림에 맞는 퍼즐 모양을 찾아 붙임딱지를 붙여 보세요. 붙임딱지 ②

퍼즐에 적힌 낱말을 각각 알맞은 빈칸에 넣어 우주가 쓴 자신을 소개하는 글을 완성하고 따라 써 보세요.

	내	∨	이	름	은	∨	김	우	주
이	고	,		일	곱	∨	살	이	다.

2주 1일

46~47쪽

다음 만화를 읽고, 친구들이 쓴 자신을 소개하는 글을 완성하세요.

1 단계 정아와 기혁이가 자신을 소개하는 글을 쓰려고 해요. 다음 그림을 보고, 빈칸의 말을 각각 따라 쓰세요.

❶ 내 이름은 박정아이고, 기 린 반이다.

❷ 내 이름은 장기혁이고, 책 읽 기 를 좋아한다.

2 단계 수아가 자신을 소개하는 글을 쓰려고 해요. 빈칸에 알맞은 낱말을 보기에서 각각 골라 글을 완성하고 따라 쓰세요.

보기: 이름, 춤추는, 일곱, 좋아한다

	내	∨	이	름	은	∨	이	수	아
이	고	,	일	곱	∨	살	이	다	.
나	는	∨	춤	추	는	∨	것	을	∨
좋	아	한	다	.					

정답

2주 2일

48~49쪽

수민이의 가족을 살펴보고, 가족을 부르는 알맞은 말을 찾아 붙임딱지를 붙여 보세요. 붙임딱지 ②

수민이와 동생이 집으로 가는 길에 찾은 글자를 차례대로 빈칸에 넣어 수민이가 쓴 가족을 소개하는 글을 완성하고 따라 써 보세요.

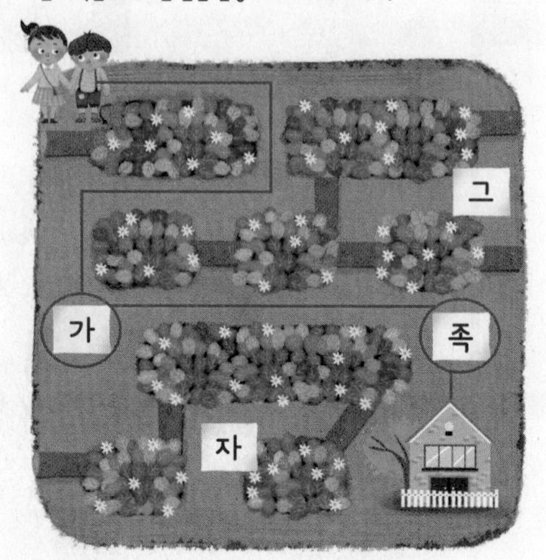

	우	리	∨	가	족	은	∨	엄	마
아	빠	,		나	,		남	동	생	으	로
모	두	∨	네	∨	명	이	다	.	

2주 2일

50~51쪽

다음 그림을 보고, 주희가 쓴 가족을 소개하는 글을 완성하세요.

어휘 풀이

▾ **대가족**(큰 대 大, 집 가 家, 겨레 족 族) 식구 수가 많은 가족.

예 대가족이 먹을 만둣국을 끓이기 위해서 다 같이 만두를 만들었다.

1단계 주희가 자신의 가족에 대해 소개하려고 해요. 다음 그림을 보고, 빈칸의 낱말을 각각 따라 쓰세요.

주희네 가족

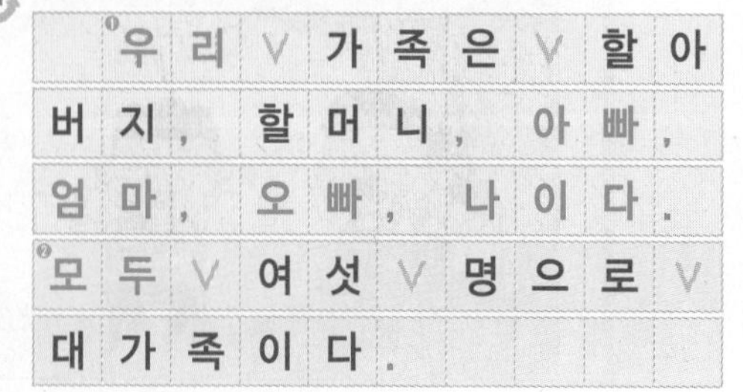

❶ 우리 가족은 할아버지, 할 머 니 , 아빠, 엄마, 오빠, 나이다.

❷ 모두 여섯 명으로 대 가 족 이다.

2단계 1에서 쓴 문장을 넣어 주희가 쓴 글을 완성하고 따라 쓰세요.

	❶우	리	∨	가	족	은	∨	할	아
버	지	,		할	머	니	,		아	빠	,
엄	마	,		오	빠	,		나	이	다	.
❷모	두	∨	여	섯	∨	명	으	로	∨
대	가	족	이	다	.				

2주 3일

하준이가 친구를 소개하고 있어요. 하준이가 소개하는 친구를 찾아 ○표를 해 보세요.

인물들이 들고 있는 글자를 사다리 타기를 하여 도착한 곳에 써 보세요.

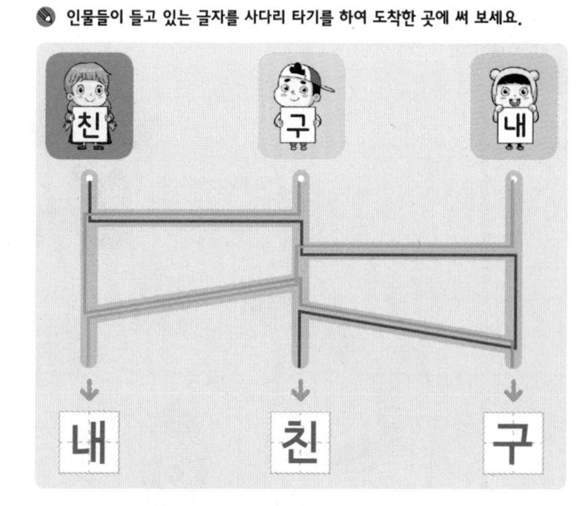

위에서 쓴 글자를 차례대로 빈칸에 넣어 하준이가 쓴 친구를 소개하는 글을 완성하고 따라 써 보세요.

내 ∨ 친 구 의 ∨ 이 름 은
하 윤 서 이 고 , 곱 슬 머 리
이 다 .

2주 3일

다음 만화를 읽고, 상윤이가 쓴 친구를 소개하는 글을 완성하세요.

어휘 풀이

타기 도로, 줄, 산, 나무, 바위 따위를 밟고 오르거나 그것을 따라 지나가는 것.

예 다람쥐는 열매를 따기 위해서 나무 타기를 시작했다.

1단계 다음 그림을 보고, 빈칸에 알맞은 말을 보기에서 각각 골라 쓰세요.

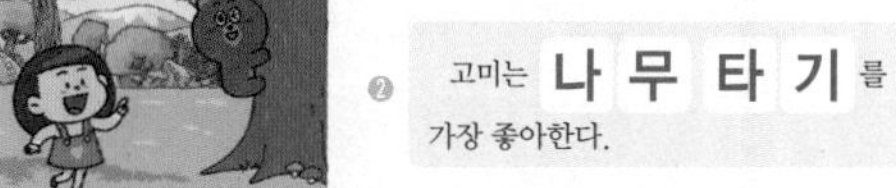

❶ 내 친 구 의 이름은 고미이다.

❷ 고미는 나 무 타 기 를 가장 좋아한다.

2단계 1에서 쓴 문장을 넣어 상윤이가 쓴 글을 완성하고 따라 쓰세요.

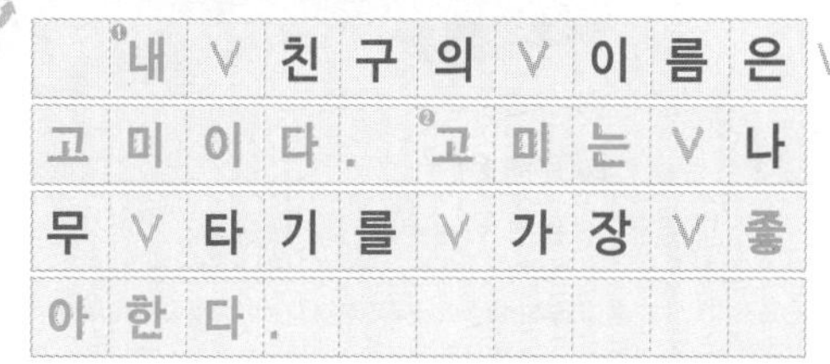

정답

2주 4일 (56~57쪽)

규현이의 장난감을 살펴보고, 그림에 알맞은 장난감을 찾아 붙임딱지를 붙여 보세요. 붙임딱지 ②

아라가 설명하는 낱말을 찾아 빈칸에 넣어 규현이가 쓴 장난감을 소개하는 글을 완성하고 따라 써 보세요.

오리 장난감은 누르면 노랫소리가 난다.

2주 4일 (58~59쪽)

다음 만화를 읽고, 하은이가 쓴 장난감을 소개하는 글을 완성하세요.

어휘 풀이

- **장난감** 아이들이 가지고 노는 여러 가지 물건.
  예 승주는 가게에 놓인 장난감을 보고 발걸음을 멈추었다.
- **우주선**(집 우 宇, 집 주 宙, 배 선 船) 우주 공간을 날아다닐 수 있도록 만든 물체.

▲ 우주선

1단계 하은이가 우주선 장난감을 친구들에게 소개하려고 해요. 다음 그림을 보고, 빈칸에 알맞은 낱말을 보기에서 각각 골라 쓰세요.

보기: 성큼성큼 / 반짝반짝 / 빨간색 / 초록색

❶ 우주선 장난감은 윗부분이 **빨간색**이고, 뾰족하다.

❷ 우주선 장난감의 창문에서는 **반짝반짝** 빛이 난다.

2단계 1에서 쓴 내용을 넣어 하은이가 쓴 글을 완성하고 따라 쓰세요.

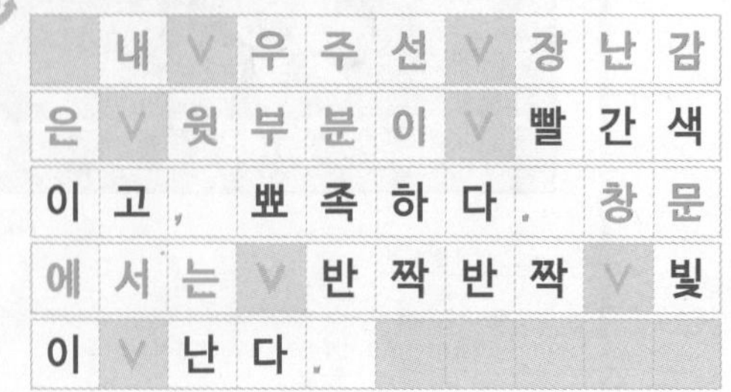

내 우주선 장난감은 윗부분이 빨간색이고, 뾰족하다. 창문에서는 반짝반짝 빛이 난다.

2주 5일

60~61쪽

성현이가 그림을 그리고 있어요. 성현이가 그린 그림을 색칠하여 공룡 그림을 완성해 보세요.

그림에 맞는 퍼즐 모양을 찾아 붙임딱지를 붙여 보세요. 붙임딱지 ③

퍼즐에 적힌 낱말을 각각 알맞은 빈칸에 넣어 그림을 소개하는 글을 완성하고 따라 써 보세요.

	내	가	V	그	린	V	그	림	은
뿔	이	V	있	는	V	공	룡	V	그
림	이	다	.						

2주 5일

62~63쪽

다음 만화를 읽고, 민우가 쓴 자신의 그림을 소개하는 글을 완성하세요.

1단계 민우가 자신이 그린 그림을 소개하려고 해요. 다음 그림을 보고, 빈칸의 낱말을 각각 따라 쓰세요.

❶ 이 그림은 바 닷 속 풍경을 그린 그림이다.

❷ 물 고 기 들이 자유롭게 헤엄치는 모습을 그렸다.

2단계 1에서 쓴 내용을 넣어 민우가 쓴 글을 완성하고 따라 쓰세요.

	❶이	V	그	림	은	V	바	닷	속	V
풍	경	을	V	그	린	V	그	림	이	
다	.	❷물	고	기	들	이	V	자	유	
롭	게	V	헤	엄	치	는	V	모	습	
을	V	그	렸	다	.					

정답

2주 누구나 100점 테스트

64~65쪽

1 기혁이가 하는 말을 읽고, 빈칸에 알맞은 말을 넣어 기혁이가 쓴 자신을 소개하는 글을 완성하세요.

나는 장기혁이고, 책 읽기를 좋아해.

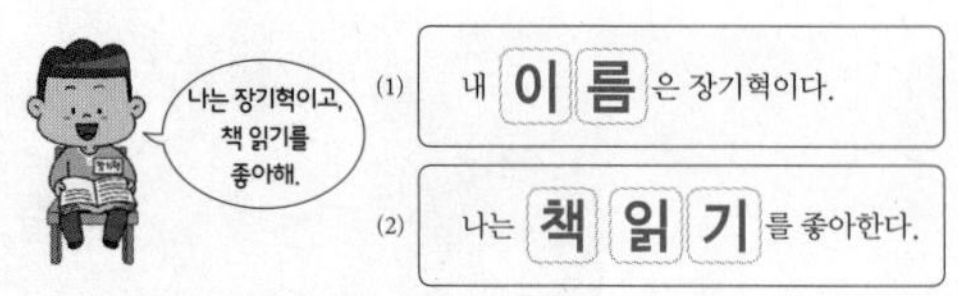

(1) 내 이 름 은 장기혁이다.
(2) 나는 책 읽 기 를 좋아한다.

2 다음 그림을 보고, 수민이가 쓴 가족을 소개하는 글에 들어갈 내용으로 알맞은 것에 모두 ○표를 하세요.

나는 이수민이야.

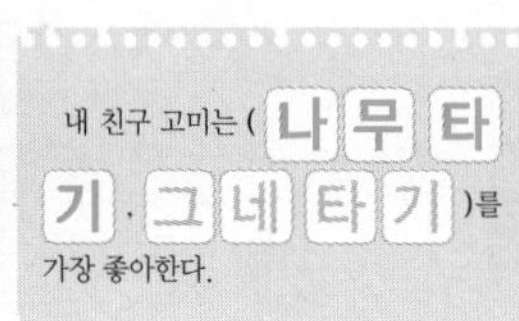

우리 가족은 (엄마, 누나, 아빠, 나, 남동생)으로 모두 네 명이다.

3 상윤이가 친구를 소개하는 글을 쓰려고 해요. 다음 중 알맞은 낱말을 골라 따라 쓰세요.

내 친구 고미는 나무 타기를 가장 좋아해.
상윤

내 친구 고미는 (나 무 타 기 , 그 네 타 기)를 가장 좋아한다.

4 다음 그림을 보고, 보기에서 알맞은 말을 골라 하은이가 쓴 장난감을 소개하는 글을 완성하고 따라 쓰세요.

하은
보기
반짝반짝 빛이 난다
덩실덩실 춤을 춘다

내 ∨ 우 주 선 ∨ 장 난 감
은 ∨ 창 문 에 서 ∨ 반 짝 반
짝 ∨ 빛 이 ∨ 난 다 .

5 다음 그림을 보고, 보기의 글자들을 한 번씩 사용해 그림을 소개하는 글을 완성하고 따라 쓰세요.

이 그림은 뿔이 있는 공룡 그림이다.

2주 창의·융합·코딩

66~67쪽

산에서 만날 수 있는 흉내 내는 말을 살펴보고, 따라 써 봐요. 흉내 내는 말에 알맞은 붙임딱지도 함께 붙여 보세요. 붙임딱지 3

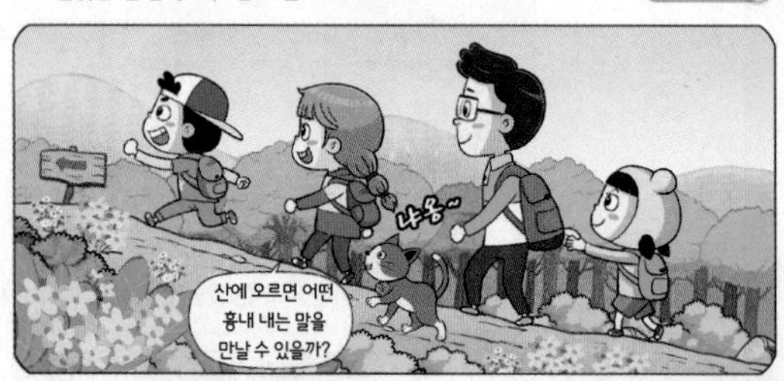

산에 오르면 어떤 흉내 내는 말을 만날 수 있을까?

시냇물 소리가 들려.
졸졸

산새들이 우는 소리야!
짹짹

바람은 저렇게 부는구나.

살랑 살랑

떨어진 잎사귀를 밟으면 이런 소리가 나지!

바스락

등산은 즐거워!
나도 마법 빗자루 태워 줘!
나도!

산에서 만날 수 있는 흉내 내는 말의 뜻을 알아봐요!

- 졸졸: 가는 물줄기가 잇따라 부드럽게 흐르는 소리나 모양.
- 짹짹: 자꾸 참새 따위가 우는 소리.
- 살랑살랑: 바람이 가볍게 자꾸 부는 모양.
- 바스락: 마른 잎이나 나뭇가지, 종이 등을 가볍게 밟거나 뒤적일 때 나는 소리.

68~69쪽

2주 창의·융합·코딩

채현이는 새로 사귄 친구를 집에 데려가려고 해요. 갈림길에서 만난 글이 무엇을 소개하는 글인지 알맞은 것을 따라 집으로 가는 길을 선으로 이어 보세요.

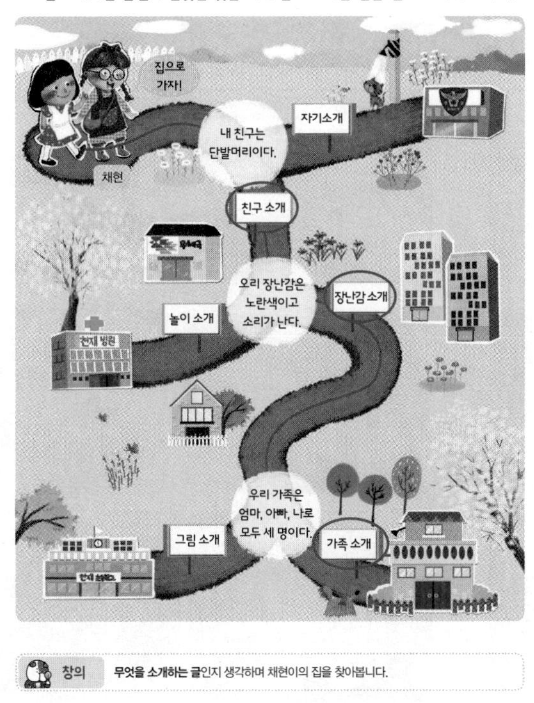

창의 무엇을 소개하는 글인지 생각하며 채현이의 집을 찾아봅니다.

지유가 친구를 찾아가려고 해요. 지유가 소개하는 친구를 만날 수 있도록 빈칸에 알맞은 화살표 모양을 그려 보세요.

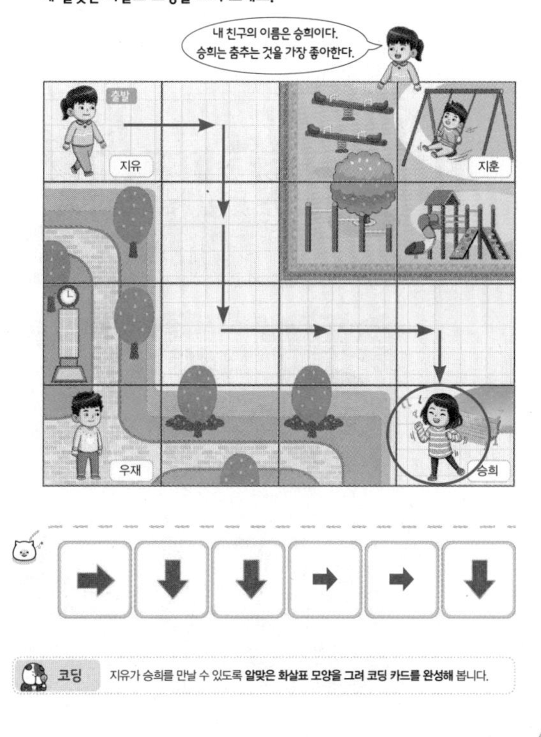

→ ↓ ↓ → → ↓

코딩 지유가 승희를 만날 수 있도록 알맞은 화살표 모양을 그려 코딩 카드를 완성해 봅니다.

70~71쪽

2주 창의·융합·코딩

규현이가 자신이 가진 장난감이 모두 몇 개인지 세어 보려고 해요. 종류가 같은 장난감의 개수를 세어 각각 써넣고, 규현이가 가진 장난감은 모두 몇 개인지 알아보세요.

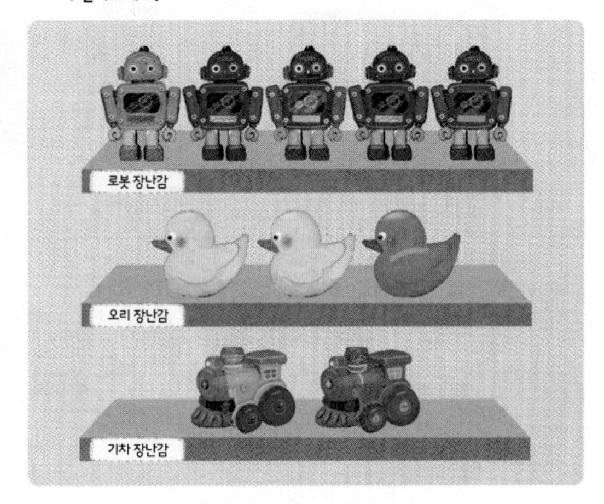

융합 국어+수학 규현이의 장난감을 세어 보며, 한 자릿수 덧셈을 해 봅니다.

종수가 그림을 그리고, 그림을 소개하는 글을 썼어요. 종수의 그림에 사용된 색깔의 이름으로 알맞은 것에 각각 ○표를 하세요.

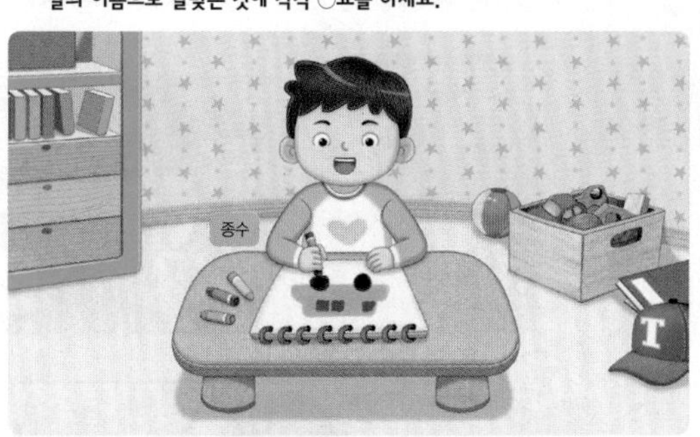

나는 크고 멋진 자동차 그림을 그렸다. 그리고 좋아하는 파란색, 연두색, 검은색으로 자동차를 색칠했다.

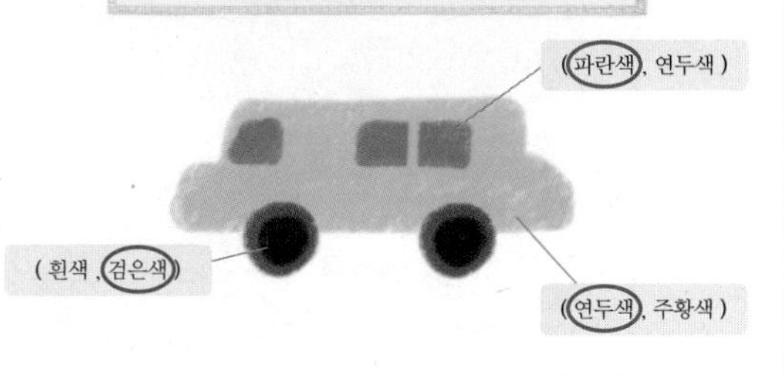

창의 그림 속 자동차의 모습을 살펴보며 그림을 소개하는 글을 제대로 썼는지 읽어 봅니다.

정답

3주

무엇을 공부할까? ❶

72~73쪽

3주

3주에는
무엇을 공부할까? ❶

3주

무엇을 공부할까? ❷

74~75쪽

◉ 이번 주에 배울 내용을 생각하며, 빈칸의 말을 따라 쓰세요.

1일 심부름을 써요

2일 알림장을 써요

3일 오늘 해야 할 일을 써요

4일 독서 메모를 써요

5일 용돈 기입장을 써요

3주 1일

76~77쪽

유미가 가게에서 사야 할 것을 모두 찾아 ◯표를 해 보세요.

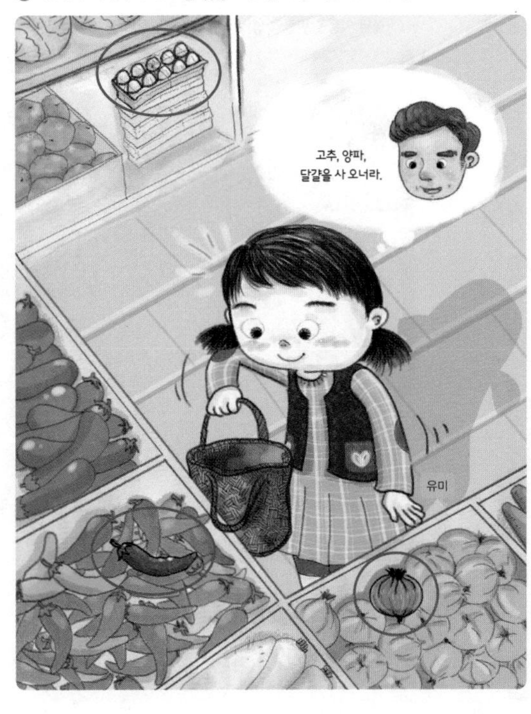

유미가 계산대까지 가는 길에 있는 물건의 이름을 차례대로 빈칸에 넣어 유미가 쓴 메모를 완성하고 따라 써 보세요.

	고	추	,		양	파	,		달	걀	∨
사	∨	오	기								

3주 1일

78~79쪽

다음 만화를 읽고, 아기 다람쥐가 쓴 메모를 완성하세요.

1단계 아기 다람쥐가 해야 할 심부름에 맞게 빈칸의 낱말을 각각 따라 쓰세요.

❶ 토끼에게 쪽 지 를 준다.
❷ 도 토 리 를 따 온다.

2단계 1의 문장을 이용해 아기 다람쥐가 쓴 메모를 완성하세요.

엄마 심부름

❶ 토 끼 에 게 쪽 지 주기
❷ 도 토 리 따 오기

정답

3주 2일

80~81쪽

갯벌 체험을 하는 도현이의 모습을 떠올리며, 그림에 알맞은 붙임딱지를 붙여 보세요. 붙임딱지 3

다음 그림을 보고 갯벌 체험에 필요한 준비물을 선으로 이어 보세요. 또 준비물의 이름을 빈칸에 넣어 도현이가 알림장에 쓴 메모를 완성하고 따라 써 보세요.

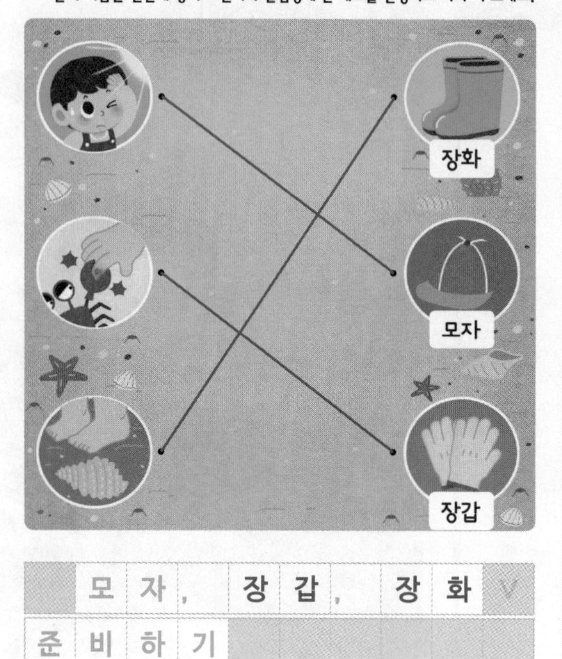

	모	자	,	장	갑	,	장	화	V
준	비	하	기						

다른 답 모자, 장화, 장갑 준비하기

3주 2일

82~83쪽

다음 그림을 보고, 지수가 쓴 알림장을 완성하세요.

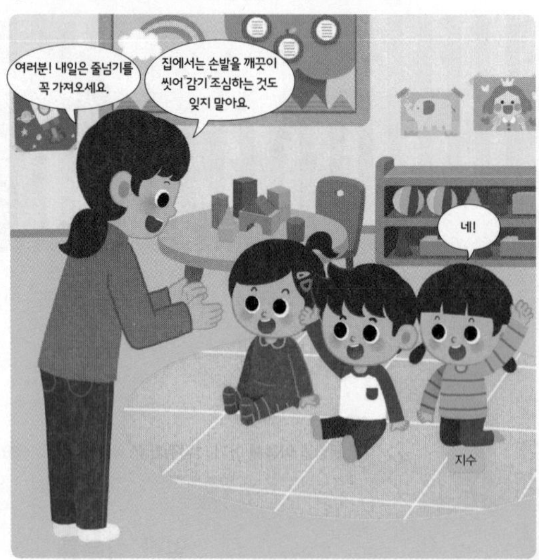

어휘 풀이

- **알림장**(문서 장 狀) 알려야 할 내용을 적은 글. 예 아이는 알림장에 준비물을 적었다.
- **감기**(느낄 감 感, 기운 기 氣) 보통 기침, 콧물, 두통 등의 증상이 있는, 전염성이 있는 병.
- **조심**(잡을 조 操, 마음 심 心) 좋지 않은 일을 겪지 않도록 말이나 행동 등에 주의를 함. 예 모기에 물리지 않도록 조심하자.

1단계 선생님께서 말씀하신 내용에 맞게 빈칸에 알맞은 낱말을 보기에서 각각 골라 쓰세요.

보기

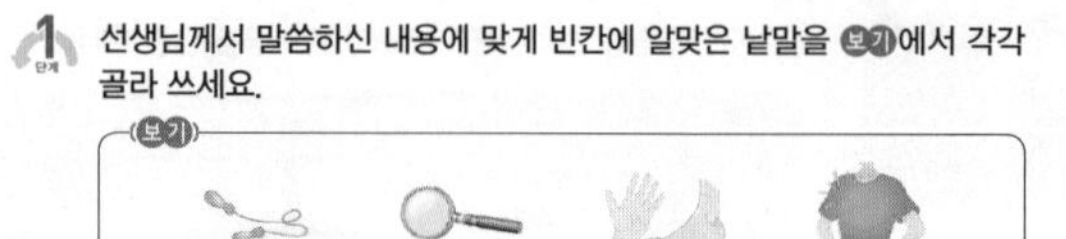

❶ 줄넘기 를 가져온다.

❷ 손발 을 깨끗이 씻어 감기를 조심한다.

2단계 1의 문장을 이용해 지수가 쓴 알림장을 완성하세요.

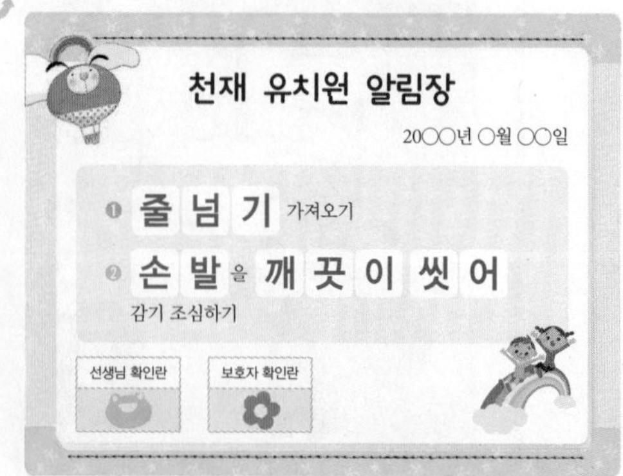

천재 유치원 알림장
20○○년 ○월 ○○일
❶ 줄넘기 가져오기
❷ 손발을 깨끗이 씻어 감기 조심하기
선생님 확인란
보호자 확인란

3주 3일

84~85쪽

민지가 오늘 해야 할 일을 살펴보며, 숨은 그림을 모두 찾아 ○표를 해 보세요.

민지가 친구를 만나러 가는 길에 찾은 글자를 차례대로 빈칸에 넣어 오늘 해야 할 일을 쓴 메모를 완성하고 따라 써 보세요.

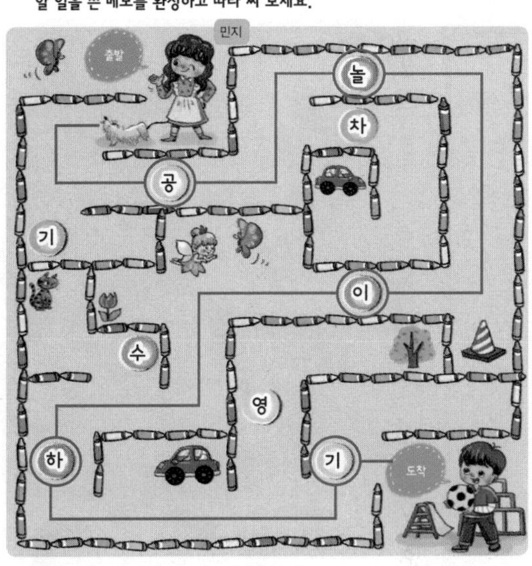

- 친구와 ∨ 공놀이하기
- 강아지와 ∨ 산책하기

3주 3일

86~87쪽

다음 그림을 보고, 곰돌이가 쓴 메모를 완성하세요.

1단계 곰돌이가 떠올린 오늘 해야 할 일에 맞게 빈칸의 낱말을 각각 따라 쓰세요.

❶ 화분에 물을 준다.

❷ 「토끼와 거북이」를 읽는다.

❸ 물고기를 잡는다.

2단계 1의 문장을 이용해 곰돌이가 쓴 메모를 완성하세요.

오늘 해야 할 일

❶ 화분에 물 주기
❷ 「토끼와 거북이」 읽기
❸ 물고기 잡기

정답

3주 4일

88~89쪽

◎ 친구들이 책을 읽고 한 말을 살펴보며, 그림에 알맞은 붙임딱지를 붙여 보세요. 붙임딱지 ④

농부의 욕심부리는 표정 좀 봐. 거위 배 속에 황금알이 잔뜩 들어 있다고 생각하다니!
거위 배를 가르려고 하네. 결국 황금알을 낳는 거위를 잃고 말 거야.

◎ 그림에 맞는 퍼즐 모양을 찾아 붙임딱지를 붙여 보세요. 붙임딱지 ④

◎ 퍼즐에 적힌 낱말을 각각 알맞은 빈칸에 넣어 독서 메모를 완성하고 따라 써 보세요.

책 제목 『황금알을 낳는 거위』

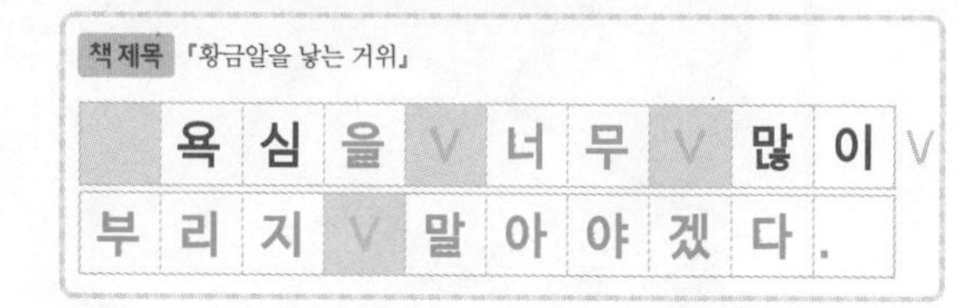

욕심을 너무 많이 부리지 말아야겠다.

3주 4일

90~91쪽

◎ 다음 만화를 읽고, 『금도끼 은도끼』를 읽고 쓴 독서 메모를 완성하세요.

이 금도끼, 은도끼가 네 도끼냐?
아닙니다.

이 쇠도끼가 네 도끼냐?
네! 맞습니다.
정직한 마음을 가졌구나. 모두 가지거라.

어휘 풀이

- **독서**(읽을 독 讀, 글 서 書) **메모** 책을 읽은 후에 드는 생각이나 느낌을 중심으로 쓰는 글. 시간이 지난 후에도 책에 대한 생각이나 느낌을 쉽게 떠올릴 수 있어서 좋음.
- **도끼** 굵은 나무를 찍거나 장작을 패는 데 쓰는 도구.
- **정직**(바를 정 正, 곧을 직 直)**한** 마음에 거짓이나 꾸밈이 없고 바르고 곧은.

1단계 정음이가 책을 읽고 느낀 점을 쓰려고 해요. 빈칸에 알맞은 낱말을 보기에서 각각 골라 쓰세요.

보기: 은도끼 / 쇠도끼 / 정직 / 창피

정직한 마음으로 살아야겠구나.

① 책 제목: 『금도끼 은도끼』

② 느낀 점: 나도 나무꾼처럼 정직한 마음으로 살아야겠다.

2단계 1의 내용을 넣어 정음이가 『금도끼 은도끼』를 읽고 쓴 독서 메모를 완성하고 따라 쓰세요.

책 제목: ① 『금도끼 은도끼』

② 나도 나무꾼처럼 정직한 마음으로 살아야겠다.

3주 5일

92~93쪽

자신의 용돈으로 사고 싶은 것을 모두 골라 붙임딱지를 붙여 보세요.

붙임딱지 4

사고 싶은 것을 한 가지 골라 사다리 타기를 하여 가격을 알아보세요. 그리고 고른 물건의 이름과 가격을 각각 빈칸에 넣어 메모를 완성하고 따라 써 보세요.

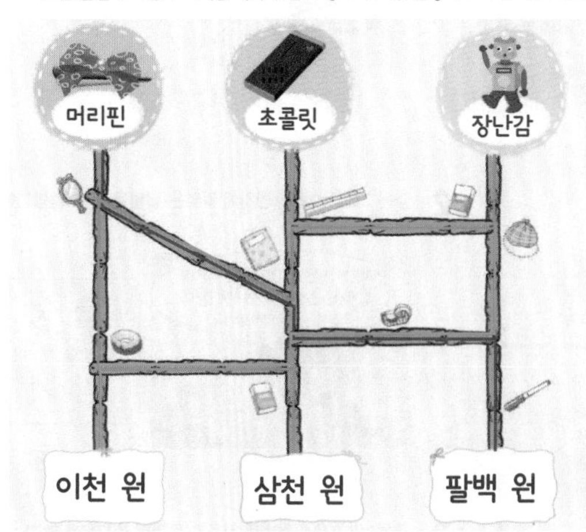

날짜 ○월 ○○일

다른 답 · 초콜릿을 사는 데 이천 원을 썼다.
· 장난감을 사는 데 삼천 원을 썼다.

3주 5일

94~95쪽

다음 그림을 보고, 민호가 쓴 용돈 기입장을 완성하세요.

3
송이 생일
1일에 준 용돈으로 산 거구나.
오늘 송이 생일이라 생일 선물을 샀어요.
민호

어휘 풀이

- **용**(쓸 용 用)**돈 기입장**(기록할 기 記, 들 입 入, 휘장 장 帳) 용돈을 언제, 어떤 곳에, 얼마만큼 썼는지 적어 넣는 책이나 공책. 계획적으로 용돈을 쓰는 데 도움을 줌.
- **선물**(선물 선 膳, 만물 물 物) 고마움을 표현하거나 어떤 일을 축하하기 위해 다른 사람에게 물건을 줌. 또는 그 물건. 예 송이는 인형을 선물로 받았다.

1단계 3월 1일 과 3월 4일 에 민호에게 있었던 일에 맞게 빈칸의 낱말을 각각 따라 쓰세요.

❶ 용돈을 받았다.

❷ 송이의 생일 선물을 샀다.

2단계 1의 문장을 이용해 민호가 쓴 용돈 기입장을 완성하세요.

날짜	내용	들어온 돈	나간 돈	남은 돈
3월 1일	❶ 용돈을 받음.	5,000		5,000
3월 4일	❷ 송이의 생일 선물을 삼.		2,000	3,000
…	…	…	…	…
합계				

정답

3주 누구나 100점 테스트

96~97쪽

1 아빠의 말씀을 읽고, 메모할 때 꼭 써야 할 낱말에 모두 색칠하세요.

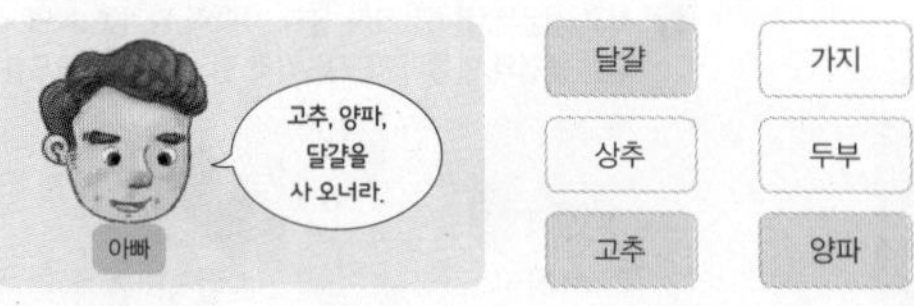

2 다음 그림을 보고, 빈칸에 알맞은 낱말을 넣어 알림장에 쓸 메모를 완성하세요.

3 곰돌이가 오늘 해야 할 일을 떠올리며 메모를 하려고 해요. 다음 중 알맞은 낱말에 각각 ○표를 하세요.

4 정음이가 『금도끼 은도끼』를 읽고 독서 메모를 쓰려고 해요. 보기 의 낱말을 모두 이용하여 문장을 알맞게 쓰세요.

	거	짓	말	을	∨	하	지	∨	않
고	∨	정	직	하	게	∨	살	아	야
겠	다	.							

5 다음 문장은 용돈 기입장에서 어느 부분에 써야 하는지 찾아 선으로 이으세요.

3주 창의·융합·코딩

98~99쪽

식사 시간에 만날 수 있는 흉내 내는 말을 살펴보고, 따라 써 봐요. 흉내 내는 말에 알맞은 붙임딱지도 함께 붙여 보세요.

붙임딱지 5

식사 시간에 만날 수 있는 흉내 내는 말의 뜻을 알아봐요!

3주 창의·융합·코딩

100~101쪽

다음 장바구니를 보고, 종이에는 어떤 메모가 적혀 있을지 빈칸에 알맞은 숫자를 각각 쓰세요.

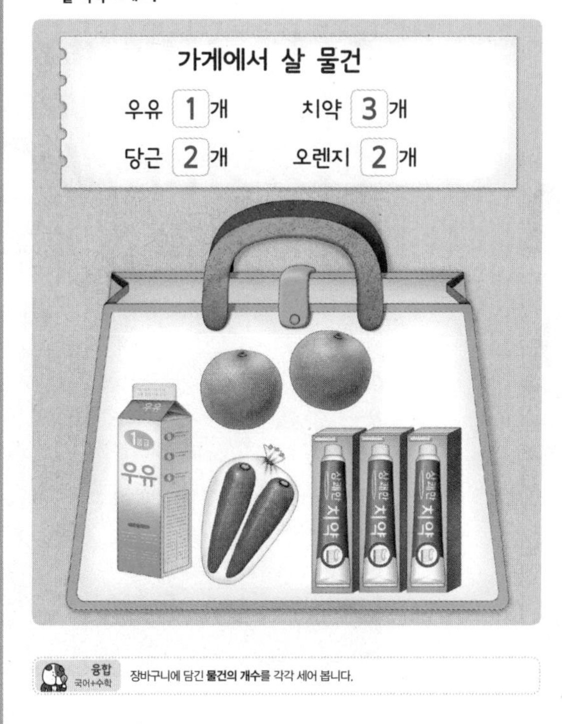

가게에서 살 물건
우유 1 개
치약 3 개
당근 2 개
오렌지 2 개
우유
치약

융합 국어+수학 장바구니에 담긴 **물건의 개수**를 각각 세어 봅니다.

도현이가 쓴 알림장의 빈칸에 알맞은 말을 쓰고, 가방에 넣을 물건을 세 가지 골라 ○표를 하세요.

2000년 00월 00일
그림 그리기 에 필요한 도구 가져오기
선생님 확인란
보호자 확인란

창의 선생님의 말씀에서 **중요한 내용**을 찾아 쓰고, 이와 **관련된 도구**를 찾아봅니다.

3주 창의·융합·코딩

102~103쪽

민지가 메모한 일을 차례대로 모두 하려면 어떻게 이동해야 하는지 알맞은 화살표에 각각 ○표를 하세요.

〈오늘 해야 할 일〉 책상 정리하기, 만화 영화 보기

민지는 (⬇, ➡) 방향으로 한 칸, (⬇, ➡) 방향으로 두 칸 이동해야 해요.

코딩 민지가 두 가지의 일을 모두 하려면 **어느 방향으로 움직여야 할지** 생각해 봅니다.

「금도끼 은도끼」의 뒷부분을 읽고, 독서 메모를 쓰려고 해요. 빈칸에 그림이 나타내는 글자를 알맞게 써넣으세요.

곧 산신령이 나타날 거야. 호호.

모두 제 것입니다요!
감히 내게 거짓말을 하다니!
아이고, 살려 주세요.

그림							
나타내는 글자	오	짓	서	말	호	거	랑

지나친 욕심을 부리지 말고, 거 짓 말 도 하지 말아야겠다.

창의 이야기에 대한 **생각이나 느낌**을 떠올리며 그림이 나타내는 글자를 찾아 써 봅니다.

정답

106~107쪽

마무리 학습

신경향 신유형 서술형 1

1 다음 만화를 읽고, 축하하는 쪽지의 내용을 써넣어 만화를 완성해 보세요.

2 도윤이가 초대를 받아 친구의 집을 찾아가고 있어요. 각 상황에서 쪽지에 쓸 알맞은 말을 따라가 친구의 집까지 가는 길을 선으로 이어 보세요.

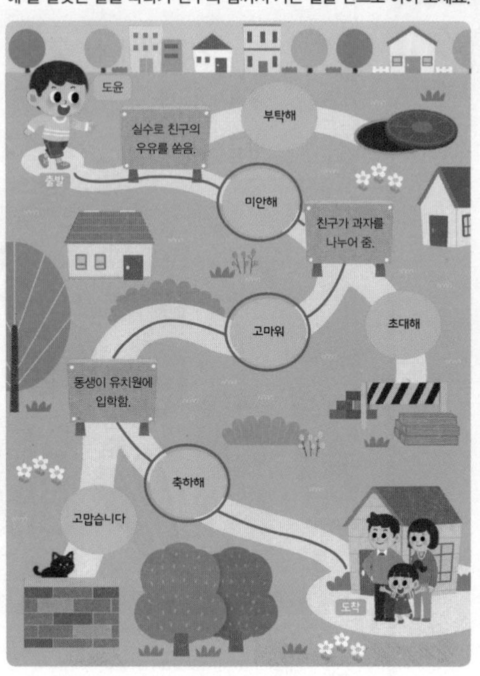

108~109쪽

마무리 학습

신경향 신유형 서술형 2

3 나의 모습을 그려 보고, 빈칸에 나의 나이와 이름, 내가 좋아하는 것을 써넣어 자신을 소개하는 글을 완성하세요.

나는 예 일곱 살 예 이지은 이다.
나는 예 노래하는 것을 을/를 좋아한다.

4 다음 그림에서 친구들이 썼을 메모로 알맞은 것에 각각 색칠하세요.

마무리 학습 기초 종합 정리 문제 1

110~111쪽

글쓰기

1 다음 그림을 보고, 빈칸에 알맞은 낱말을 보기에서 각각 골라 고마운 마음을 전하는 쪽지를 완성하고 따라 쓰세요.

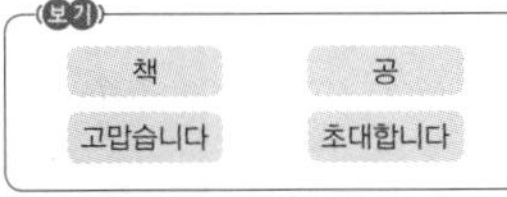

보기: 책 / 공 / 고맙습니다 / 초대합니다

	재	미	있	는	∨	책	을	∨	읽
어	∨	주	셔	서	∨	고	맙	습	니
다	.								

2 지우가 쓴 쪽지에서 ㉠ 안에 들어갈 알맞은 낱말을 골라 따라 쓰세요.

그림을 망쳐서 정말 ㉠.
– 지우 –

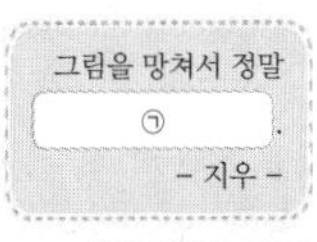
미안해

축하해

3 다음 그림을 보고, 지율이에게 줄 쪽지의 내용을 알맞게 쓴 친구의 이름을 쓰세요.

지아: 생일 축하해!
시안: 생일 부탁해.

(지아)

4 다음 상황에 알맞은 문장을 각각 선으로 잇고, 낱말을 따라 쓰세요.

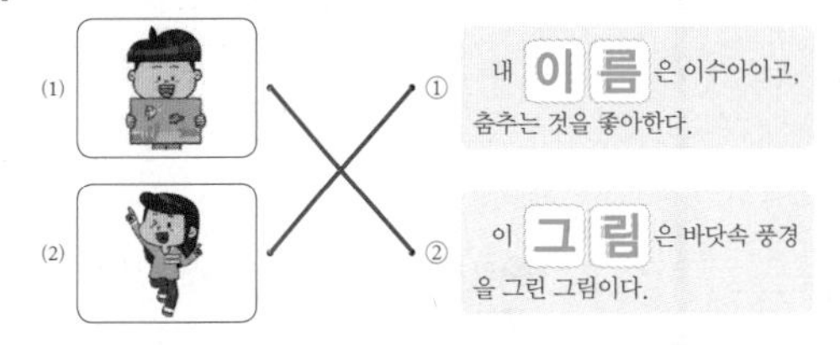

(1) — ② 이 그림은 바닷속 풍경을 그린 그림이다.

(2) — ① 내 이름은 이수아이고, 춤추는 것을 좋아한다.

5 주희가 자신의 가족을 소개하는 글을 쓰려고 해요. 빈칸에 알맞은 낱말을 각각 쓰세요.

우리 가족은 할아버지, 할머니, 아빠, 엄마, 오빠, 나 모두 여섯 명이다.

112~113쪽

마무리 학습 기초 종합 정리 문제 1

6 친구를 소개하는 글을 알맞게 쓴 것에 ○표를 하세요.

(1) 내 친구의 이름은 민다솔이고, 줄넘기 하는 것을 좋아한다. (○)

(2) 내 친구의 이름은 민다솔이고, 노란색의 긴 머리를 가졌다. ( )

글쓰기

7 빈칸에 알맞은 낱말을 보기에서 골라 다음 장난감을 소개하는 글을 완성하고 따라 쓰세요.

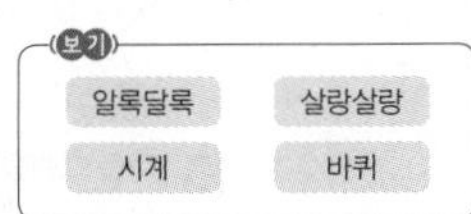

보기: 알록달록 / 살랑살랑 / 시계 / 바퀴

	기	차	∨	장	난	감	은	∨	색
깔	이	∨	알	록	달	록	하	다	.
바	퀴	를	∨	굴	리	면	∨	칙	칙
폭	폭	∨	소	리	가	∨	난	다	.

8 아기 다람쥐가 다음과 같은 심부름을 하기 전에 썼을 메모가 아닌 것에 ×표를 하세요.

(1) 도토리 따 오기 ( )

(2) 토끼에게 쪽지 주기 ( )

(3) 토끼에게 바나나 주기 (×)

9 선생님께서 말씀하신 내용을 읽고, 알림장에 꼭 써야 할 낱말을 모두 골라 따라 쓰세요.

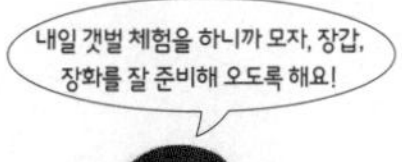

내일 갯벌 체험을 하니까 모자, 장갑, 장화를 잘 준비해 오도록 해요!
선생님

모자 장갑

우산 장화

10 다음 그림을 보고, 소희가 쓴 독서 메모의 빈칸에 알맞은 낱말을 쓰세요.

책 제목: 「황금알을 낳는 거위」
욕심을 너무 많이 부리지 말아야겠다.

정답

114~115쪽

마무리 학습 기초 종합 정리 문제 2

1 윤수가 미안한 마음을 전하는 쪽지를 쓰려고 해요. 다음 중 알맞은 낱말을 골라 따라 쓰세요.

앗, 재현이 신발을 신고 왔네.

재현아, 너의 신발을 잘못 신고 왔어. 너에게 정말 (고마워 , 미안해).

2 보기 의 낱말을 알맞은 차례로 써넣어 부탁하는 쪽지를 완성하세요.

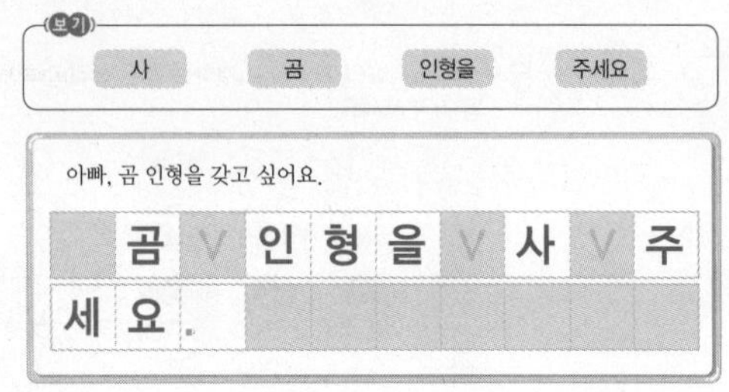

보기: 사 / 곰 / 인형을 / 주세요

아빠, 곰 인형을 갖고 싶어요.

곰 ∨ 인 형 을 ∨ 사 ∨ 주 세 요 .

3 다음 그림을 보고, 송이가 쓸 쪽지로 알맞은 것에 ○표를 하세요.

이제 재롱 잔치에 부모님을 초대해 볼까요?

(초대하는 쪽지(○), 축하하는 쪽지)

4 다음에서 소개하는 친구는 누구인지 그림에서 찾아 ○표를 하세요.

내 친구의 이름은 하준우이다. 준우는 요리하는 것을 가장 좋아한다.

5 다음 그림에 알맞은 낱말을 골라 따라 쓰세요.

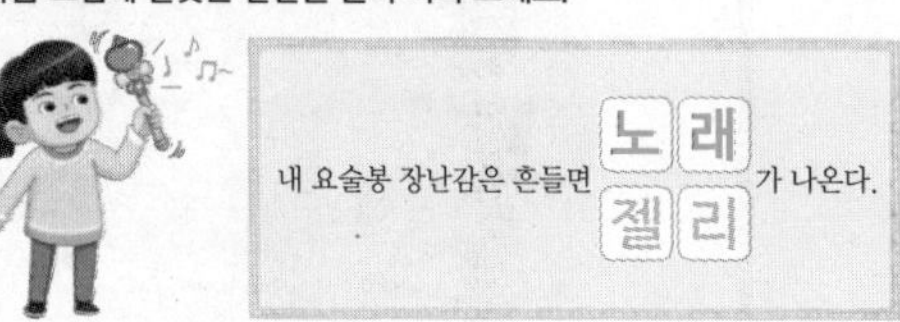

내 요술봉 장난감은 흔들면 (노래 / 젤리) 가 나온다.

116~117쪽

마무리 학습 기초 종합 정리 문제 2

6 상현이가 그린 그림을 보고, 빈칸에 알맞은 낱말을 보기 에서 골라 그림을 소개하는 글을 완성하세요.

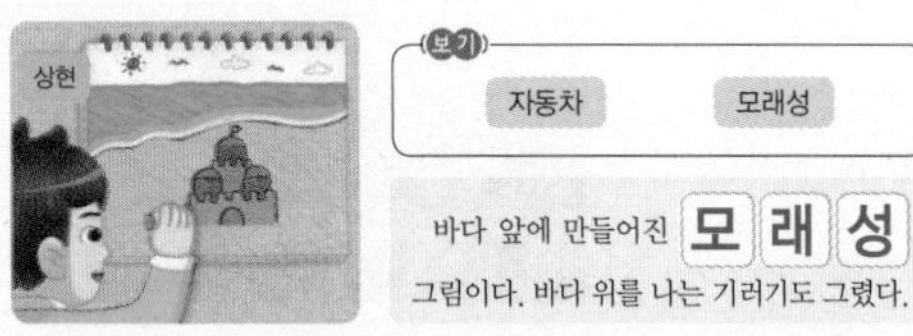

보기: 자동차 / 모래성

바다 앞에 만들어진 모 래 성 그림이다. 바다 위를 나는 기러기도 그렸다.

7 아빠께서 말씀하신 내용을 읽고 쓴 메모의 빈칸에 알맞은 낱말을 쓰세요.

아빠 심부름

고추, 양 파, 달걀 사 오기

8 다음 알림장에는 어떤 내용이 쓰여 있는지 알맞은 것에 모두 ○표를 하세요.

천재 유치원 알림장

20○○년 ○월 ○○일

1. 줄넘기 꼭 가져오기
2. 손발을 깨끗이 씻어 감기 조심하기

(1) 준비물 (○)
(2) 오늘 재미있었던 일 ( )
(3) 생활에서 지켜야 할 규칙 (○)

9 다음 그림을 보고, 빈칸에 알맞은 말을 보기 에서 모두 골라 민지가 오늘 해야 할 일을 쓴 메모를 완성하세요.

보기: 강아지와 / 요리하기 / 부모님과 / 산책하기

오늘 해야 할 일

- 친구와 공놀이하기
- 강아지와 산책하기

10 다음 그림을 보고, 용돈 기입장에 쓸 내용으로 알맞은 것을 골라 각각 선으로 이으세요.

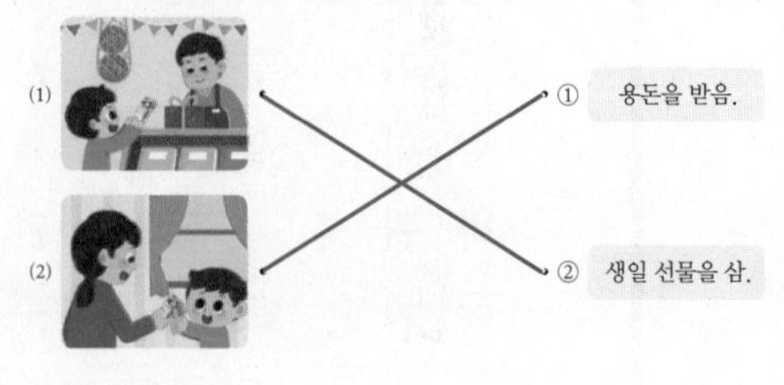

(1) — ② 생일 선물을 삼.
(2) — ① 용돈을 받음.

◀ 정답은
이안에
있어!

배움으로 행복한 내일을 꿈꾸는

천재교육 커뮤니티 안내

교재 안내부터 구매까지 한 번에!

천재교육 홈페이지

자사가 발행하는 참고서, 교과서에 대한 소개는 물론
도서 구매도 할 수 있습니다. 회원에게 지급되는 별을 모아
다양한 상품 응모에도 도전해 보세요!

다양한 교육 꿀팁에 깜짝 이벤트는 덤!

천재교육 인스타그램

천재교육의 새롭고 중요한 소식을 가장 먼저 접하고 싶다면?
천재교육 인스타그램 팔로우가 필수!
깜짝 이벤트도 수시로 진행되니 놓치지 마세요!

수업이 편리해지는

천재교육 ACA 사이트

오직 선생님만을 위한, 천재교육 모든 교재에 대한 정보가 담긴
아카 사이트에서는 다양한 수업자료 및 부가 자료는 물론
시험 출제에 필요한 문제도 다운로드하실 수 있습니다.

천재교육을 사랑하는 샘들의 모임

천사샘

학원 강사, 공부방 선생님이시라면 누구나 가입할 수 있는 천사샘!
교재 개발 및 평가를 통해 교재 검토진으로 참여할 수 있는 기회는 물론
다양한 교사용 교재 증정 이벤트가 선생님을 기다립니다.

아이와 함께 성장하는 학부모들의 모임공간

튠맘 학습연구소

튠맘 학습연구소는 초·중등 학부모를 대상으로 다양한 이벤트와 함께
교재 리뷰 및 학습 정보를 제공하는 네이버 카페입니다.
초등학생, 중학생 자녀를 둔 학부모님이라면 튠맘 학습연구소로 오세요!

꿈을 위한 동행

축구선수, 래퍼, 선생님, 요리사...
배움을 통해 아이들은 꿈을 꿉니다.

학교에서 공부하고, 뛰어놀고 싶은 마음을
잠시 미뤄둔 친구들이 있습니다.
어린이 병동에 입원해 있는 아이들.

이 아이들도 똑같이 공부하고
맘껏 꿈꿀 수 있어야 합니다.
천재교육 학습봉사단은
직접 병원으로 찾아가
같이 공부하고 얘기를 나눕니다.

함께 하는 시간이
아이들이 꿈을 키우는 밑바탕이 되길 바라며
천재교육은 앞으로도
나눔을 실천하며 세상과 소통하겠습니다.

book.chunjae.co.kr

교재 내용 문의 ························· 교재 홈페이지 ▸ 초등 ▸ 교재상담
교재 내용 외 문의 ······················ 교재 홈페이지 ▸ 고객센터 ▸ 1:1문의
발간 후 발견되는 오류 ··············· 교재 홈페이지 ▸ 초등 ▸ 학습지원 ▸ 학습자료실 ▸ '정오표' 검색

ISBN 979-11-259-6973-0

정가 13,000원

어린이제품 안전 특별법에 의한 품질 표시

미름